De verschrikkelijke schooljuffrouw

Lees ook van Dolf Verroen

De verschrikkelijke schoolmeester

www.leopold.nl

Dolf Verroen

De verschrikkelijke schooljuffrouw

Met illustraties van Auke Herrema

Leopold / Amsterdam

Eerste druk 2007

Omslag en illustraties: Auke Herrema
Omslagontwerp: Marjo Starink
Uitgeverij Leopold, Amsterdam
ISBN 978 90 258 5003 6 / NUR 283

Inhoud

Kou is goed voor jou

Een tijdje terug moest ik voorlezen op een school. Dat doe ik wel vaker, maar niet zo dikwijls bij een zo beroemde schooljuffrouw. Iedereen kende haar, want ze deed altijd mee met demonstraties. Ze liep met spandoeken en ze schreeuwde, ja, ze schreeuwde echt: 'De aarde warmt op. Het klimaat gaat eraan.' Je hoorde haar op de radio, je zag haar op de televisie en ze stond zo vaak in de krant, dat de mensen zeiden: 'Nou ja, die weet alles!'

En zo was het ook.

Ze werd beroemder en beroemder, maar beroemde mensen zijn niet altijd gemakkelijk en terwijl ik een verhaal voorlas, liep ze als een getergde leeuw door de klas. Haar ogen fonkelden en ze keek zo kwaad, dat de kinderen zich niet durfden te verroeren. Ik werd echt een beetje bang van haar en ik was blij toen ik klaar was met voorlezen.

Maar toen kwam het ergste. Ze wilde weten of mijn verhaal belangrijk was en ze begon vragen te stellen. Die waren zo moeilijk, zo ingewikkeld en ze hadden zo weinig met mijn verhaal te maken, dat ik ze niet snapte. De kinderen gaven natuurlijk geen goed antwoord en ze beefde van woede. Ze zag eruit of ze zou gaan gillen, maar gelukkig ging de bel.

Het was pauze. Voor de kinderen was het speelkwartier en wij gingen naar de koffiekamer.

'Ik ben woedend,' schreeuwde ze. 'Woedend! Ik heb ze dag in dag uit, maand in maand uit verteld dat ze moeten protesteren tegen flauwekul en wat doen ze? Niks, niks, helemaal niks.'

'Maar wat hadden ze dan moeten doen?' vroeg ik.

'Protesteren natuurlijk! Ze zitten daar als zoutzakken, als nullen die van niks weten, naar uw onzin te luisteren.'

'Maar het was toch een leuk verhaal?'

'Een leuk verhaal? U moet over het klimaat vertellen, meneer Verroen. Dat we misschien wel binnen een paar maanden overstroomd worden, dat we op het water drijven als ouwe zakken. Dat we nergens meer naartoe kunnen, omdat het ijs is gesmolten en de aarde zo warm is geworden dat we er allemaal aangaan. ALLEMAAL, meneer Verroen, u ook.'

'Je overdrijft,' zei de juffrouw van groep twee.

'O, ja?!' schreeuwde de beroemde schooljuffrouw. 'Ik wil jou nog wel eens horen als je in je natte broek door de school drijft. Dan zul je wel anders piepen. Maar dan hoef je niet te klagen, want het is je eigen schuld. Ik heb je gewaarschuwd.'

'Dat weet ik,' zei de andere juffrouw. 'Maar je kunt toch niet boos worden omdat meneer Verroen een leuk verhaal voorleest?'

'Vind je dat leuk, een verhaal over een vader die bang is voor een muis?'

'Ja,' zei ze, 'dat vind ik leuk.'

'Dan ben je niet goed wijs. We moeten de kinderen leren om beter met het klimaat om te gaan. Bij mij in de klas beseffen ze dat. Onze leuze is: KOU IS GOED VOOR JOU.

Ze weten dat het weer moet gaan vriezen, dat het ijs niet mag smelten. Smeltend ijs is onze ondergang. Weg met de centrale verwarming, weg met de warme douche. Kou moeten we hebben. Kou! Ik hamer het er elke dag weer in, elke dag. Ik schuw geen middel om ze dat bij te brengen. Al moet ik ze tot aan hun nek in het ijswater zetten, ze zullen het leren.'

Nu werd de andere juffrouw kwaad.

'Ik wil geen woord meer horen,' schreeuwde ze. 'Jij bent niet de verschrikkelijke sneeuwvrouw, maar de verschrikkelijke schooljuffrouw.'

'Ja,' zei de schooljuffrouw. 'En daar ben ik trots op.'

Ik zei niets, maar sindsdien heb ik de verschrikkelijke schooljuffrouw in de gaten gehouden en haar hele verhaal ten slotte opgeschreven. Je kunt me geloven of niet, maar de verschrikkelijke schooljuffrouw bestaat echt. Zij is net zo echt als het warme ijsje dat ik nu zit te eten. En als je niet gelooft dat ijs warm kan zijn, vraag je het maar aan mijn beroemde schooljuffrouw.

Hoofdstuk een

Waarin duidelijk blijkt dat kinderen en ouders niets van elkaar begrijpen en een feest niet altijd een feest is.

Dit zijn Tina en Tony.

Ze zijn op dezelfde dag, in hetzelfde jaar geboren en ze zitten in groep acht op een énige school.

Dit zijn hun vader en moeder.

Dat zie je meteen.

En dit is de verschrikkelijke schooljuffrouw, die eruitziet als een engel.

'Heb je gehoord dat we een juffrouw krijgen?' schreeuwde Tina.

'En je krijgt haar vanavond al te zien,' zei Tony. 'Er is geen ouderavond maar een soort feest, om met haar kennis te maken.'

'Juffies zijn meestal niks,' zei hun moeder. 'Maar deze lijkt me wel wat. Ik heb haar vaak op de televisie gezien. Ze kan praten als Brugman. Ze kletst alle ministers ondersteboven.'

'Ze ziet er lief uit,' zei haar vader. 'En als ze nou ook nog zorgt dat we met de kerstvakantie genoeg sneeuw krijgen...'
'De directeur vindt het erg belangrijk dat jullie komen,' zei Tina. 'Dus dat moet je wel doen.'
'Dat maak ik zelf wel uit,' zei haar vader. 'Eerst een biertje om een beetje bij te komen.'
'En ik ga bellen,' zei Tina.
'Je belt veel te veel. Als je beltegoed op is, krijg je geen nieuwe kaart.'
Tina hoorde het niet eens. Ze was al boven. Ze pikte de telefoon van haar moeder en belde Lena.
'Mijn vader komt zeker,' zei Lena. 'Hij vindt het milieu erg belangrijk. Daar bidt hij elke dag voor.'
De oma van Sammy kwam ook.
De vader van Janus Kuit kwam omdat er na afloop hapjes en drankjes waren. De vader en moeder van Jopie Eigenheimer hadden geen zin, maar ze gingen wel.
'Ik heb trouwens wel een leuk idee om er een echt feest van te maken,' zei Jopie en hij begon te vertellen wat hij allemaal van plan was.
Tina kon haar oren niet geloven.
'Wat spannend,' fluisterde ze. 'Ik ga meteen de anderen bellen.'
Daarna riep ze Tony.
Zijn oren vielen bijna van zijn hoofd.
'Fantastisch,' zei hij. 'Geweldig.'
Ze konden bijna niet wachten tot zeven uur.
'Laten we nou gaan eten,' zeurde Tina. 'Wij willen zo gauw mogelijk naar school.'
'Jullie gaan toch geen rotzooi trappen?' vroeg haar moeder. Haar vader zei: 'Ik heb nog nooit gehoord dat jullie ook 's avonds naar school willen.'
'We willen ook niet, we moeten. En we zijn benieuwd naar

de nieuwe juf,' zei Tony. 'Dat snap je toch wel?'
'Ik hoop dat ze er geen rommeltje van maakt,' zei zijn moeder. 'Die juffies kunnen zo soft zijn. Ik hoop dat ze een strenge hand heeft.'
Tina en Tony waren zo ongeduldig dat ze nauwelijks aten. Zodra ze mochten, sprongen ze van tafel en renden naar de deur. Maar gemakkelijk weg kwamen ze niet. Eerst moesten hun kleren worden bekeken, daarna hun handen en ten slotte hun nagels. Tina moest naar boven omdat ze rouwrandjes had.
'En dat voor een meisje,' zuchtte haar moeder.
Tina stak haar tong uit en ging mopperend naar boven.

Bij de school stonden de anderen al te wachten.
'Ik heb vuurwerk bij me,' zei Jopie, 'om de nieuwe juf feestelijk in te halen. Aan het eind van de avond steken we het af.'
'Krijg ik de dansende sterren?' vroeg Tina. 'Die heb ik pas op de televisie gezien. Geweldig.'
Jopie verdeelde het vuurwerk.
Alleen Lena wilde niets hebben.
'Ben je bang?'
'Ik vind het geldverspilling,' antwoordde Lena. 'Weet je hoeveel geld er aan die onzin verspild wordt? Mijn vader zegt dat daar duizenden mensen van kunnen eten.'
Tina wilde wat hatelijks zeggen, maar Jopie was haar voor. 'Ik steek het eerste vuurwerk aan, dan komt Tony en dan...'
'Pas op,' zei Janus, 'daar komen de directeur en de juffies van de onderbouw.'
'Goed dat jullie er al zijn,' riep de directeur. 'Dan kunnen jullie ons mooi even helpen.'
En dat deden ze.
Tina en Tony zetten de stoelen klaar. Sammy en Lena zetten de koffiekopjes op tafel en Janus zorgde met nog een paar

andere kinderen dat de planten goed stonden, want de directeur was dol op kunstplanten. De grootste stonden achteraan, de kleinere opzij en in een rij voor het podium.

Jopie zorgde voor de geluidsinstallatie. De directeur en de invalmeester van groep acht ontvingen de nieuwe juffrouw in de koffiekamer. En de juffies van groep een en twee wachtten op de ouders.

Die kwamen al gauw. Er kwamen er zoveel, dat ze stoelen bij moesten zetten. Daardoor begon de ouderavond een kwartier te laat.

'Maar,' zei de directeur, 'dat is niet erg.' Hij was trots op de kinderen van groep acht die op de eerste rij zaten en vol spanning op hun nieuwe juf wachtten. 'En hier is zij,' riep hij, 'u kent haar allemaal, de in heel Nederland beroemde milieuactiviste...'

Er volgde een oorverdovend applaus.

De nieuwe juf stond op het toneel en ze keek verlegen om zich heen.

'Wat een schat,' zei de vader van Jopie. 'Daar wil ik wel een avondje mee uit.'

Zijn vrouw vond het niet leuk. Ze kon niets zeggen, want de directeur nam het woord. Hij vertelde hoe blij hij was met 'deze nieuwe schooljuffrouw, die zich met hart en ziel inzet voor de maatschappij en onze kinderen'.

Toen kwam de juf.

'Ik ben geen softie,' zei ze, 'ik voed onze kinderen op zoals het hoort: met besef voor het dreigende gevaar van een opwarmende aarde...'

Ze begon vriendelijk en zachtjes, maar haar stem werd steeds luider. Af en toe balde ze haar vuisten en haar ogen vlamden.

De kinderen zaten van schrik doodstil te luisteren.

Sommige ouders ook.

'Ik weet niet hoe streng u de kinderen gaat behandelen,' zei de moeder van Sammy in het vragenkwartiertje, 'maar ik wil wel dat de opvoeding wordt overgelaten aan de ouders.'

De nieuwe juf gaf geen antwoord.

'U moet wel naar haar luisteren, zij is de beroemde Bright Lady Astronaut,' riep een mevrouw. 'Die van de ruimtevaart.'

De nieuwe juf begreep dat ze antwoord moest geven.

'Ik breng de kinderen principes bij,' zei ze afgemeten. 'Ik hou niet van energieverkwisting.'

'Slaat u de kinderen ook?' vroeg iemand.

'Natuurlijk niet,' riep ze. 'Ik heb zo mijn eigen methodes en die werken perfect. Echt waar, u zult versteld staan.'

'Als u maar niet te zachtzinnig bent,' zei een meneer. 'Ik

had eigenlijk liever een meester gehad. Mannen zijn toch betere...'

Sommige vrouwen lachten hem uit, andere maakten een geluid dat op sissen leek en weer andere begonnen boos te schreeuwen.

De directeur maakte er een eind aan.

Toen kwam Jopie.

'Wij hebben een verrassing voor de nieuwe juf, meester.'

De directeur keek blij de zaal in.

Jopie ontstak het eerste vuurwerk: het vliegende dansorkest. Het vuurwerk plofte, rookte en deed niets. Tina schoot toe en ontstak haar dansende sterren. Als een pijl uit een boog vloog er een in een kunstplant achterin. Die vatte onmiddellijk vlam en begon luid te knetteren. De ouders sprongen op en gilden: 'Brand! Brand!'

De meneer, die vond dat mannen beter zijn dan vrouwen,

sloeg de oma van Sammy tegen de grond, pakte een stoel en werkte zich naar de uitgang. De tafel met de koffie werd omvergelopen. De kopjes stortten rinkelend op de grond, maar niemand hoorde het. Iedereen gilde en krijste. De juffies en meesters probeerden orde in de zaal te brengen, terwijl de kinderen ervandoor gingen.

'Het is veilig!' schreeuwde de directeur na een tijdje. 'Allemaal op uw plaats. Alles is veilig!'

Het duurde even voor de ouders hem hoorden.

De planten waren uitgebrand.

Het vuur was gedoofd.

De directeur was woedend op de kinderen.

Die waren op straat, ver van de school.

Lena moest huilen, Tina was kwaad en Jopie zei wel drie keer achter elkaar: 'Ik had het zo goed bedoeld. Echt waar. Echt waar.'

Of de directeur dat wist?

Ik denk het niet!

Gelukkig kregen ze de volgende dag niet op hun kop. De nieuwe juf had dingen aan haar hoofd, die ze belangrijker vond.

Hoofdstuk twee

Waarin we kennismaken met een ijskast. Waarin we de nieuwe juf beter leren kennen en we ontdekken dat ouders onverbeterlijk zijn.

Het was opeens koud geworden. Zo koud dat Sammy en Lena dikke truien aanhadden. Sammy had zelfs een door zijn oma gebreid mutsje op.

Ze zaten nog niet op hun plaats of er werd geklopt. Even later kwamen er drie mannen binnen met een manshoge ijskast.

'Tussen de wasbak en het bord,' zei de nieuwe juf. 'En meteen aansluiten graag. Ik wil hem zo snel mogelijk kunnen gebruiken.'

'Zouden we in de pauze cola met ijs krijgen?' vroeg Janus aan Sammy.

'Ik hoop het niet,' zei Sammy. 'Ik zit nou al te rillen.'

Opeens merkten ze bijna allemaal dat het koud was. Sammy keek op de thermometer: drie graden. Daarna liep hij naar de verwarming: uit! Hij begon aan de knop te draaien, maar juf zei:

'Afblijven. Het is drie graden boven nul. Dan hebben we geen verwarming nodig.'

'Maar ik heb het koud!' riep Sammy.

'Zwarte mensen hebben het altijd koud,' zei de nieuwe juf vriendelijk. 'Een kwestie van wennen. Wie heeft het nog meer koud?' Er gingen veel vingers omhoog.

'Zie je wel?' glimlachte juf. 'Jij bent zo'n beetje de enige.' Ze keek of de ijskast goed aangesloten was en zei: 'Ik ga jullie iets vertellen over het leven van de ijsbeer. Jij daar, hoe heet je, doe het raam open.'

'Maar juf,' zei Tina, 'ik vernikkel nou al.'

'Doe het maar gauw open,' zei juf vriendelijk. 'Dan ben je een braaf meisje.'

Tina deed zuchtend het raam open.

'Goed zo,' zei juf. 'En nu het andere.'

Daarna begon ze te vertellen. Over de ijsberen die door hoge sneeuw liepen, over ijsschotsen sprongen en in ijskoud water zwommen op zoek naar voedsel. Het was spannend, maar ze konden hun aandacht er niet bij houden. De wind waaide naar binnen en het duurde niet lang of ze zaten allemaal te rillen van de kou. Lena begon na een paar minuten te proesten en te snuiven als een zeehond.

'Je hebt een schattig truitje aan,' zei juf. 'Doe het maar gauw uit, dan heb je geen last meer van verkoudheid.'

Lena keek haar aan.

'Kijk niet zo dom,' zei juf, 'en doe die trui uit. Jij ook, zwarte jongen. In de klas tolereer ik geen truien. En helemaal geen gebreide mutsjes. Begrepen?'

'Nee,' antwoordde Sammy.

Juf liep naar de ijskast en deed de deur open.

'Erin,' zei ze. 'Ik duld geen brutaliteiten.'

'Maar juf,' stotterde Sammy.

'Erin!'

Het werd doodstil in de klas, alsof er geen juf en geen kinderen waren die adem haalden.

Sammy aarzelde, stond ten slotte op en liep naar juf, die

nog steeds de deur van de ijskast openhield. Ze gaf hem een duwtje en deed de deur dicht.

'Als jij je truitje uit hebt, gaan we verder met de ijsberen,' zei ze tegen Lena.

Tina stak haar vinger op.

'U hebt de deur dichtgedaan. Sammy kan zo wel stikken.'

'Dat is jouw zaak niet,' zei juf koeltjes. 'We gaan verder.'

Het werd een vreselijke ochtend.

Een meisje dat klaagde dat ze blauw van de kou was, moest voor straf bij het open raam gaan staan. Toen ze in snikken uitbarstte werd ze in de ijskast gestopt. Sammy mocht eruit, 'hoewel,' zei juf, 'er plaats voor tien is.'

Tony moest zijn hemd uitdoen en zat in zijn blote bast sommen te maken. Janus had zulke stijve vingers dat hij niet meer kon schrijven.

'Dan krijg je een onvoldoende,' zei juf. 'Dat is duidelijk.'

In de pauze moesten ze naar buiten. Allemaal achter elkaar en hardlopen. De directeur stond er stralend bij. Af en toe klapte hij in zijn handen en riep:

'Sneller, sneller, sneller.'

Lena was na drie rondjes buiten adem, maar ze moest verder.

'Word je warm van,' zei juf. 'Dat wil je toch zo graag?'

Jopie Eigenheimer ging huilend aan de kant staan, omdat hij pijn in zijn zij had.

'Zulke steken, juf.' Maar het hielp niet. Hij moest gewoon in de rij.

Na de pauze zette juf de ventilator aan.

De windvlagen schoten ijzig door de klas.

Niemand durfde iets te zeggen.

Niemand wilde de ijskast in.

Tot slot van de ochtend deden ze een kringgesprek.

'Ik hoop dat ik jullie iets geleerd heb,' zei juf met een lachje. 'Als je niet tegen de kou kunt, ga je de kachel opstoken. Dan gebruik je energie. Veel te veel energie. Daardoor smelt het ijs, de aarde warmt op, de zeespiegel stijgt en voor je het weet drijven we hier allemaal door de klas.'

'Maar ik kan zwemmen,' zei een jongen.

'Vanmiddag de ijskast in. Van een tot twee.'

'Het is woensdag, juf!' riep Janus. 'De school is vanmiddag dicht!'

Juf moest er niet om lachen.

'Gewoon terugkomen,' zei ze.

De jongen die kon zwemmen begon heel hard te huilen, maar het hielp niet.

'Om één uur ben je er,' zei juf terwijl ze dreigend de kring rondkeek. 'En wie het er niet mee eens is, kan erbij.'

Toen ging gelukkig de bel.

Sammy vertelde thuis niet dat hij wel twee uur in de ijskast had gestaan. Zijn oma was ziek en zijn moeder zat druk te schrijven aan een lezing over ruimtevaart.

De anderen zeiden ook niets, maar Tina en Tony wel. Die begonnen te praten zodra ze binnen waren.

'De nieuwe juf is verschrikkelijk,' zeiden ze.

'Daar geloof ik niets van,' zei hun vader. 'Ik vond haar best lief.'

'Ze is zo gemeen,' zei Tina. 'Lena moest haar trui uittrekken en tegen Sammy zei ze dat zwarte mensen altijd zeuren over het weer.'

'Dat is waar,' zei haar moeder. 'Zwarte mensen doen altijd zo overgevoelig. Daarom werken ze ook niet.'

'Dat is niet waar, Sammy is de beste van de klas!'

Tina ontplofte haast.

'Ze heeft hem in de ijskast gestopt!' schreeuwde ze.

'Dat zou ik ook wel willen,' zei haar vader. 'Als ik zie wat je moeder allemaal gekocht heeft...'

'Heeft juf geslagen?'

'Nee, mama.'

'Heeft ze geknepen?'

'Nee papa.'

'Heeft ze je oren omgedraaid?'

'Of je gekrabd?'

'Of aan je haar getrokken?'

'Nee mama!'

'Nou, wat zeur je dan?'

'Bovendien heeft ze gelijk,' zei papa. 'Het is bijna december en er is nog geen vlokje sneeuw gevallen. Weet je wat dat betekent? Dat we binnenkort niet naar de wintersport kunnen. En ik heb er wel voor betaald. Heus kinderen, jullie juf heeft gelijk. Je moet goed naar haar luisteren. Anders gaat het verkeerd met de wereld. Helemaal verkeerd.'

Hoofdstuk drie

De klas is ons koninkrijk. Hoe lief een verschrikkelijke schooljuffrouw kan zijn. Meisje ijspaleisje.

De deur van de klas was nog dicht.

Juf stond ervoor.

Ze zag er leuk uit. Ze had een gezellige bloemetjesjurk aan en een roze bloem in haar haar.

Ze hield haar wijsvinger voor haar mond en lachte. Ze lachte zo lief, dat zelfs Tina meende dat ze zich vergist had. Juf is lief, dacht ze. Echt lief.

In de klas schrok ze zich dood.

Twee borden waren weg. Daarvoor in de plaats stonden twee manshoge ijskasten. Het wasbakje was verdwenen en er was een grote metalen kast voor in de plaats gekomen. Ook de verwarmingen onder het raam waren weg en hadden plaatsgemaakt voor witte vierkante kisten.

De tafeltjes waren verschoven en de stoelen stonden in een kring.

'Dat heb ik gedaan omdat we met elkaar gaan praten. Een kringgesprek,' zei juf. 'Gezellig hè?'

Niemand zei wat.

Ze gingen zelfs zitten zonder ruzie te maken.

'Zo mag ik het zien,' zei juf tevreden. Ze verlegde het kussentje op haar stoel en ging zitten. 'Ik ga jullie eerst uitleggen wat er in de klas veranderd is. De twee kasten achter mij zijn ijskasten. Wie zich misdraagt, gaat erin. Die kisten onder het raam zijn vrieskisten. Doe dus maar goed je best en zorg dat je er niet in komt.'

Een van de meisjes begon zenuwachtig te giechelen. Haar buurman gaf haar een stomp en ze was meteen stil.

'Ik heb je wel gehoord, hoor,' zei juf lief. 'Laat het niet weer gebeuren.' Ze keek de kinderen een voor een aan. 'En nu de kleren,' vervolgde ze. 'Ik zie dat er geen truien meer worden gedragen en dat doet me plezier. Wat heb jij aan, Lena?'

Lena had vijf onderbroeken aan en drie T-shirts.

'Alles uit, een aanhouden.'

Lena begon met trillende handen haar kleren uit te trekken. Janus had een lange onderbroek van zijn vader aan. Juf knipte de pijpen er af en gooide ze in de prullenbak.

'Dikke wol,' lachte ze. 'En dat voor zo'n flinke jongen.' Janus wist niet wat hij ervan denken moest: was het een grapje of maakte hij kans op de ijskast? Het duurde een tijdje voor alle kinderen hun overbodige kleren uit hadden gedaan. Het was gelukkig niet erg koud, ook al stonden de ramen open.

Juf ging weer zitten.
Ze keek alsof ze blij was.
'Wij, ik en jullie, zijn een eenheid,' zei ze. 'En de klas is ons koninkrijk. Maar... in een koninkrijk moeten regels zijn. En die regels gaan wij nu met elkaar opstellen.' Ze stond op, liep naar het bord en pakte een krijtje.
'Punt een: wie ongehoorzaam is gaat in de ijskast. Mee eens?'
IJselijke stilte.
'Ik vroeg wat,' zei juf. 'Mee eens?'
'Ja,' mompelden de kinderen.
'Dat dacht ik al,' lachte juf en ze schreef:
EEN: ONGEHOORZAAMHEID? IJSKAST.
'Hoelang, juf?' vroeg Sammy bevend.
'Dat hangt ervan af, jongen. Als je vervelend bent een uur en als je je misdraagt de hele dag. Nu nummer twee:
BRUTAAL? VRIESKIST.
Nummer drie:
SUFFEN? IJSKLONTJESBAD.
Juf lachte.
'Jullie kijken zo suf dat jullie allemaal in het ijsklontjesbad kunnen, maar ik heb er genoeg, hoor. Kijk maar.'
Ze liep naar de plek waar gisteren nog de vertrouwde wasbak stond. Ze drukte op een knop en met donderend geweld stortten de ijsklontjes in een bak aan de onderkant van de stalen kast.
'Wie erg suft, kan op een bad vol klontjes rekenen. Wie een beetje suft, krijgt ze in zijn bloes. We gaan verder. Nummer vier.'
De kinderen zaten als versteend. Ze zeiden niets meer. Ze durfden zich amper te verroeren. Tina voelde het koude zweet over haar rug lopen. Jopie zat met open mond en keek voor zich uit alsof hij iets verschrikkelijks zag. Ook Janus was

zo geschrokken, dat hij niet merkte dat het snot uit zijn neus liep.

'Te veel kleren,' zei juf, 'kan ik niet tolereren. Alle kinderen worden voor de les gecontroleerd.' Ze draaide zich om en schreef het meteen op.

TE VEEL KLEREN? BUITEN STAAN.

(BIJ VOORKEUR ALS HET REGENT)

'Tina, zeg jij eens wat nummer vijf wordt?'

Tina had het gevoel of ze vijftig graden koorts had. Of de vlammen uit haar wangen sloegen. Haar buik begon te rommelen of ze een ontzettende wind moest laten. Haar hoofd leek een draaimolen en ze was doodsbang dat ze moest overgeven.

'Kijk niet zo raar,' zei juf. 'Zeg eens wat.'

'Uh uh...' stotterde Tina. 'Uh...'

'Tina, ik heb je al gezegd dat de klas ons koninkrijk is en dat wij samen de regels vaststellen. SAMEN, Tina. Maar als jij niet mee wilt doen, beschouw ik dat als ongehoorzaamheid, als...'

Tina keek naar de ijskast en deed het bijna in haar broek. Ze deed haar mond open, maar er kwam geen geluid uit. Ze hapte naar adem. Als een vis op het droge, zei Tony later.

'Als...' zei juf.

'Suffen!' riep Tina.

Juf knikte goedkeurend.

'Dat is mooi bedacht, Tina. Jullie weten dat ik alles wil doen om onze aarde van de ondergang te redden. Maar dat kan ik niet alleen. Alle mensen moeten helpen. Jullie ook. Wij gaan de aarde redden. Wie suft doet niet mee. Dat moet gestraft worden. Opgevouwen in de vrieskist. Goed gedaan, Tina.'

Nummer vijf:

SUFFEN? VRIESKIST.

'Maar juf,' zei een meisje. 'Dat hebben we al gehad.'

Juf keek op het bord.

'Met nummer drie bedoelde ik slaperigheid, niet opletten. Denk jij het beter te weten dan ik?'

'Nee,' fluisterde het meisje.

'Wat nee?' riep juf. 'Nee juf, zou ik zo zeggen. De brutaliteit... In de vrieskist met jou. Nu. Meteen.'

Ze pakte het gillende meisje vast, sleurde haar naar de vrieskist, deed de deksel open en... weg was het meisje.

'Maar juf...' fluisterde Lena.

'JUF...'

'Wou jij er ook in?' vroeg juf en ze pakte haar krijtje weer op. Nummer drie werd 'niet opletten' en nummer zes:

OPSTAND? RINGEN.

'Kijk,' zei juf en ze liep naar de muur tussen de gangdeur en de boekenkast. De schoolplaat van het indianenhuis was vervangen door twee ijzeren ringen waar je aan werd vastgeklonken als je opstandig, driftig of onbeheerst was.

'Nummer zeven,' vervolgde juf grijnzend. 'Ik heb daar

lang over nagedacht. Wat is nu het ergste wat er in onze klas kan gebeuren? Ik wist het niet. Ja kinderen, zelfs een schooljuffrouw weet niet alles. Ten slotte dacht ik: niet luisteren, dat is toch wel heel erg. Wie niet luistert, doet eigenlijk alles wat niet mag: als je niet luistert, zit je te suffen. Als je suft let je niet op. Als je niet oplet ben je ongehoorzaam. Dat is ook brutaal, vind ik. Dus heb ik besloten dat wie niet luistert een uur onder de koude douche gaat. En geen gewone koude douche, kinderen. Kijk maar eens wat ik heb laten maken.'

Ze liep naar de kast achter in de klas, deed de deur open en daar zagen de kinderen een douche, een doodgewone douche zo te zien, maar juf vertelde dat het water door elementen uit drie koelkasten gekoeld werd tot precies nul graden.

'Dus,' zei ze, 'nummer zeven.'

NIET LUISTEREN? KOUDE DOUCHE.

'Allemaal mee eens?' vroeg juf rustig. 'Dan gaan we nu naar nummer acht. Ik heb de regels van jullie vorige meester bestudeerd. Ik vond ze zo uitstekend dat ik er een heb overgenomen: namelijk snoepen. Hebben jullie wel eens bedacht wat het aan energie kost om die rommel te maken? Ik heb laatst een lollyfabriek bezocht. De hele dag machines aan om die dingen te maken. Wat dat aan energie kost! Wat een verkwisting! Daardoor gaat de aarde ten onder, kinderen. Let op mijn woorden, als je snoept, smelt het ijs en ver-

warm je de aarde. Ik heb dus besloten tot...?'

Er kwam geen antwoord.

De kinderen keken als verstomd voor zich uit.

Juf schreef het in grote letters op het bord:

SNOEPEN? BEVROREN TONG.

'Jullie hebben lief geluisterd,' zei ze. 'Hebben jullie het allemaal goed begrepen?'

Doodse stilte.

'Zitten jullie soms te suffen?' riep juf.

'Nee juf,' riepen ze in paniek.

'Goed zo, want wat staat er op suffen, Janus?'

'V-v-v vrieskist,' stotterde Janus.

'Juist,' zei juf tevreden. 'Dan nu aardrijkskunde. Ik ga met jullie naar de Noordpool. Daar, waar het ijs begint te smelten, waar alle ellende begint. En door onze schuld. We gaan weer op onze eigen plaatsen zitten. En snel een beetje. Ik wil zo gauw mogelijk beginnen.'

Binnen twee minuten zaten ze op hun plaatsen. Kaarsrecht. Zodat juf kon zien dat ze al hun aandacht bij de les hadden.

Juf liep naar het bord en hing een plaat op van hoge, witte bergen. Daarna deed ze de vrieskist open en trok het meisje eruit.

Ze was spierwit bevroren. De ijspegeltjes op haar gezicht, haar armen en benen, en op haar kleren glinsterden. Juf zette haar neer. Het meisje bleef staan waar ze stond. Ze kon zich niet meer bewegen.

'Is ze dood, juf?' fluisterde Janus.

'Nee hoor,' antwoordde juf. 'Een beetje bevroren. Dat is alles. En je let goed op,' zei ze tegen het meisje. 'Als je ontdooid bent, ga ik je overhoren.'

Hoofdstuk vier

Ook in dit hoofdstuk wordt het niet duidelijk waarom ouders oren hebben. Opstandige kinderen, lekkere chocolademelk en tot slot het weer, het weer...

De vader van Tina en Tony kwam niet meer bij van het lachen.
'In de vrieskist,' schaterde hij. 'Dat kan toch niet. Dan had ze hartstikke dood moeten zijn.'
'Ze zag eruit als een ijspegel.'
'Net een pilaar, papa.'
'Ik lach me gek,' zei hun vader. 'Wat een fantasten.'
'Ja,' zei hun moeder. 'Tina is altijd een fantast geweest.

Vroeger wilde ze minister-president worden.'

'Dat wil ik nog,' schreeuwde Tina. 'Dan schaf ik alle scholen af!'

'En de ouders,' zei Tony. 'Ik help je wel.'

'Een beetje kalm graag,' zei hun moeder. 'Ik hou niet van grote monden. Dat weet je.'

Tina stond op: 'Ik ga sms'en.'

Janus zat net aan zijn ouders te vertellen wat er gebeurd was, toen hij het bericht van Tina kreeg.

'Daar gebeurt nog eens wat,' zei zijn vader, die aan zijn derde biertje bezig was. 'Geen saaie boel, hoor.'

'Ik wil naar een andere school,' zei Janus. 'Ik ga niet meer terug.'

'Hou op met die flauwekul,' zei zijn moeder. 'Het is allemaal aandachttrekkerij. En snuit je neus. Je hebt een snottebel als een kerktoren.'

'Dat komt omdat ze de hele dag de ramen openzet. Het is ijskoud in de klas. Je tocht er weg.'

'Ik geloof er niks van. Schooljuffrouwen doen zoiets niet.'

'Je hebt geen zin in school,' zei zijn vader. 'En dat kan ik me goed voorstellen. Dat had ik ook niet. Daarom ben ik op mijn veertiende gaan werken.'

'Ja, één keer en daarna nooit meer,' zei moeder.

'Wou jij soms zeggen...'

Janus had het allemaal al vaker gehoord en ging naar de wc om het bericht van Tina te lezen: om zeven uur bij het schoolplein.

Jopie las het op hetzelfde moment.

'Kunnen we op tijd eten? Ik moet om zeven uur bij school zijn.'

'In de vrieskist?' vroeg zijn vader. 'Ik snap niet hoe je dat soort onzin kunt vertellen. Je denkt geloof ik dat wij achterlijk zijn.'

'Maar het is echt waar!' riep Jopie.

'Ik ben monteur, dat weet je. Ik ben hartstikke goed in mijn vak, maar denk je dat ik in een middag en een avond al die vrieskisten en een koude douche kan installeren? Jongen, daar heb je minstens een week voor nodig.'

'En toch is het zo,' zei Jopie.

'Ik geloof er geen woord van. Ik weet niet wat er met je aan de hand is. Gaat het soms niet goed op school?'

'Het gaat best. Dat hoor je toch?'

Zijn vader haalde zijn schouders op en zijn moeder zette het eten op tafel.

Boerenkool met worst.

'Eet er maar lekker van, jongen. Denk nou maar even niet aan school.'

De vader van Lena luisterde en knikte goedkeurend.

'Lena,' zei hij, 'ik heb je al eens vaker gezegd: zachte heelmeesters maken stinkende wonden. Luister naar de juffrouw. Ze vertelt dingen die ik al zo lang weet. Ik heb er al zo vaak over gepreekt: het eind der tijden is nabij. O, het kan nog tientallen, misschien wel honderden jaren duren, maar het begin is er. De natuurrampen, de ondergang van de aarde...'

Hij schudde zijn hoofd. 'Ik moet er niet aan denken, Lena, dat jij zo wordt als die verschrikkelijke kinderen uit jouw klas. Ze zijn brutaal, ze doen wat ze willen, ze hebben voor niemand respect. Zelfs niet voor hun juffrouw. Het is goed dat zij streng is. Ik ben het daar mee eens. Ze kan niet streng genoeg zijn.'

Lena zei niets tot de telefoon ging.

Het was Tina.

Lena schrok. Ze had geen eigen telefoon en haar vader

wilde niet dat ze voor allerlei onzin gebeld werd.

'Om zeven uur bij het schoolplein. We zijn er allemaal. Kom je ook?'

'Goed mevrouw,' riep ze. 'Ik geef u mijn vader.'

Ze drukte het rode knopje in, zodat de verbinding werd verbroken en gaf de telefoon aan haar vader. Hij besteedde verder geen aandacht meer aan haar. Ze kon precies op tijd weg.

Sammy ook.

Die had thuis eerst niets verteld. Zijn oma was ziek. Hij wilde haar niet lastigvallen met verhalen over de verschrikkelijke schooljuffrouw.

Zijn moeder, Bright Lady Astronaut, wilde de kinderen liever thuis hebben. 'Komen jullie maar hier. Ik vind het niet prettig als jullie in het donker op straat rondhangen.'

Tina wilde niet.

'Ik ga niet bij jou thuis zitten,' zei ze tegen Sammy. 'Daar ben ik veel te kwaad voor. Ik wil wat doen.'

'Wat?'

'Ik wil bushokjes vernielen. Lantaarns ingooien. Op auto's krassen. Banden doorsteken. Het kan me niet schelen wat. Als het maar kapotgaat!'

'Maar Tina,' zei Lena. 'Dat is verschrikkelijk.'

'Dan ga je toch naar huis? Tuttebel.'

'Als je zo blijft schreeuwen,' zei Sammy zakelijk, 'dan weet straks de hele buurt het.'

'Ik voel wel wat voor een bushokje,' zei Jopie. 'Achter het fietsenhok ligt een stapel oude straatstenen. Die kunnen we zo pakken. En dan effe lekker rammen. Als we nou eens beginnen met het bushokje bij de supermarkt?'

'Nee,' riep Janus. 'Daar hangt die poster van die blote meid.'

'Ik ga een lantaarn ingooien,' zei Tina.

Toen hoorden ze stappen.

Uit het duister dook een man op.

'Wat doen jullie hier?'

'We leren geschiedenis,' zei Tina.

'En aardrijkskunde.'

'Als je niet maakt dat je wegkomt, bel ik de politie,' zei de man en haalde een telefoon uit zijn zak.

'De straat is anders vrij hoor,' zei Tina brutaal.

'Kom,' zei Sammy. 'We gaan naar mijn huis.'

Tina liep met tegenzin mee.

Ze stelde nog voor om bij het gemeentehuis de struiken uit de perken te rukken, maar niemand reageerde. Ze waren allemaal blij toen ze bij Sammy waren.

Oma was uit haar bed gekomen en zat met drie sjaals om bij de gaskachel.

'Zo wordt u nog zieker,' zei Sammy. 'U moet naar bed.'

'Als er zulk leuk bezoek is? Ik denk er niet aan.'

Bright Lady Astronaut stond in de keuken chocolademelk te maken en Tina ging haar helpen.

Ze haalde bekers uit de kast en zette ze op tafel.

'Het is zo klaar, hoor!' zei Bright Lady Astronaut terwijl ze in de pan met chocola roerde.

'Dat u hier staat te roeren terwijl u zo beroemd bent,' zei Tina. 'Dat snap ik niet. Het is net of u een gewoon mens bent.'

'Dat ben ik toch ook.'

Tina vond van niet. Als je zo vaak op de televisie bent, als bijna alle mensen je kennen en je bewonderen, dan ben je heel bijzonder.

Bright Lady Astronaut schonk de chocola in en bracht de bekers op een blad naar binnen.

Tina had een beker voor oma.

'Dit moet u lekker opdrinken. Dan wordt u gauw weer beter.'

'Als ik geen griep had zou ik je zoenen,' zei oma. 'Wat ben je toch een schat.'

'Dat zou ze wel willen,' zei Janus terwijl hij zijn snottebel ophaalde. En Tony riep: 'Als het je zus is, praat je wel anders.'

Maar Tina genoot.

Haar boosheid was verdwenen.
Ze kwam bijna zingend thuis.
Maar haar vader kon wel huilen.
'Het weer...' zei hij. 'Het wordt morgen misschien wel vijftien graden. Die oen op de televisie zegt dat we bijna zomerse temperaturen krijgen. Geen kans op sneeuw, kinderen. Die vakantie wordt niks. Niks.'

Hoofdstuk vijf

Een hoofdstuk met een verschrikkelijk begin. Een goed idee, een prachtvolk, snot en sneeuw en een fantastisch einde.

Het was halfnegen.

Ze waren net binnen en het was al doodstil in de klas. Juf droeg een zwart broekpak. Ze keek niet erg vriendelijk en de klas huiverde.

'Iets verschrikkelijks, verschrikkelijks,' zei ze. 'Kijk ik vanmorgen naar buiten en wat zie ik in de tuin? Een roos, een bloeiende roos in december! Iets vreselijkers kan je je toch niet voorstellen. Ik ben zo geschrokken, kinderen, ik dacht: dit is het begin van het einde. Ik was ook kwaad. Ik ben naar de keuken gegaan, ik heb de schaar gepakt en ik ben naar de roos gegaan. Ik heb gezegd: "Jij adder, jij milieubederver. Je gaat eraan." Ik heb hem afgeknipt en in de container gegooid.'

'Wat goed van u,' zei een of andere slijmerd.

'Maar mijn stemming was bedorven. Ik zat vanmorgen aan het ontbijt in mijn vrolijke bloemetjesjurk en ik had zo'n goed idee. Ik stelde me voor dat het zou vriezen. In gedachten ging ik met de klas naar buiten. Ik zou jullie laten zwemmen in een wak of laten schaatsen op heel dun ijs. We hadden ijsgymnastiek kunnen doen en daarna hadden jullie je met sneeuw kunnen wassen. Op die manier had ik jullie kunnen leren met kou om te gaan. Kou is goed voor ons. Warmte is funest. Maar die roos heeft alles bedorven. Ik voelde me zo zwart van binnen. Ik had geen zin meer in mijn gezellige bloemetjesjurk.'

Op dat moment haalde Janus zijn neus op.

'Dat geluid doet mij denken aan de Eskimo's,' zei juf. 'Dat is een prachtvolk. Ze leven van de jacht. Ze verplaatsen zich per hondenslee. Ze leven in hutten van ijs. Soms vriest het er wel vijftig graden. Als ze buiten komen bevriest het snot van hun neus. En dat eten ze. Snot zit vol vitaminen en mineralen. Een beter medicijn bestaat er niet.

Maar wat gebeurt er als het ijs smelt?

Denk je eens in: met donderend geweld stort het ijs van de bergen in het water. De sneeuwvlaktes smelten, de hutten van de Eskimo's begeven het. De ijsberen weten niet waar ze

heen moeten... En dat alleen omdat wij in auto's rijden, de verwarming aan hebben en in vliegtuigen vliegen, omdat wij ergens heen willen waar wij niets te zoeken hebben. Al die skivakanties...'

Ze hield op.

Ze keek naar Tina.

'Zit je te suffen?'

'Nee juf! Ik dacht aan die Eskimo's. Ik dacht dat ik wel eens gelezen had dat ze sneeuwdingen hadden,' antwoordde Tina in verwarring. 'Ik bedoel een soort rituelen zal ik maar zeggen. Een...'

Het werd doodstil in de klas.

De vrieskist, dachten de meeste kinderen. Dit wordt de vrieskist.

Maar juf keek Tina vol bewondering aan.

'Een tien voor oplettendheid,' zei ze. 'De Eskimo's zijn een prachtvolk en ze hebben inderdaad schitterende rituelen om in de herfst de sneeuw op te roepen. Je hebt me op een idee gebracht, Tina. Terwijl ik het uitwerk gaan jullie gradensommen maken.'

Ze keek in haar schrift en zei: 'Let op. Als het in Nederland tien graden is en in Duitsland twaalf graden, hoeveel graden is het dan in Engeland?' Ze liep naar het bord en schreef nog drie sommen op.

'Ik wil geen woord horen,' zei ze. 'Afkijken wordt gestraft met de vrieskist. Begin maar.'

De kinderen begrepen er niets van en zaten voornamelijk op hun pennen te kauwen.

Intussen was juf druk bezig in boeken te kijken.

Een jongen stak zijn vinger op.

'Geen geplas,' zei juf.

'Die graden,' zei de jongen, 'zijn die boven of onder nul? Ik weet niet hoe ik het moet uitrekenen, juf.'

'Bedenk dat maar in de ijskast,' zei juf.

'Maar wij begrijpen er niets van,' riep een ander kind. 'U hebt het nooit uitgelegd.'

Juf keek de klas door.

Niemand durfde iets te zeggen.

'Samen in de ijskast,' beval juf. 'En geen geklets met elkaar. Daar staat straf op.'

'Maar ik weet het echt niet!'

Juf stond op en trok de deur van de ijskast open. Een grijze koudamp dreef naar buiten.

'Erin.'

Met een klap sloeg ze de deur achter de kinderen dicht. Ze liep naar haar tafel en ging zitten.

Na een tijdje keek ze op.

'Kinderen,' zei ze. 'Ik heb het gevonden. Om sneeuw op te roepen hebben de Eskimo's rituele dansen. Die zijn eeuwenoud, maar worden nog steeds gedaan. In het begin van de herfst, als de temperatuur ver boven nul is, kijken ze naar de lucht. Dagenlang speuren ze de lucht af en als er geen sneeuwwolken komen, gaan ze dansen en roepen de sneeuw op. Dat gaan wij nu ook doen. Leg je pen neer en luister.'

Tina schreef nog gauw acht graden op. Hoe ze daar bij kwam wist ze ook niet, maar het leek in ieder geval of ze had nagedacht. Maar juf besteedde geen aandacht aan de sommen.

'Vanmiddag gaan wij om twee uur precies de rituele dans doen,' zei ze. 'We kleden ons daarvoor in het wit. In brandschoon wit. Geen vlekken dus. Vlekken kunnen storend werken. Hoe het precies gaat zal ik jullie vanmiddag uitleggen.'

Janus stak zijn vinger op.

'Ik heb geen witte broek, juf.'

'Dan leen je er een. Je hebt van twaalf tot één de tijd. We gaan verder met de sommen.' Ze liep naar de ijskast en deed de deur open.

'Vlug naar je plaats. Vandaag geen straf. Negatieve invloeden kunnen we niet gebruiken.'

Klappertandend liepen de kinderen naar hun plaats.

Om twaalf uur vlogen Tina en Tony naar huis.

In de kast lagen geen witte broeken.

Er was ook geen mama.

Mama was in de supermarkt, de broeken in de wasmand.

'Jij moet ze wassen,' zei Tony. 'Als je ze nu in de wasmachine stopt zijn ze nog op tijd klaar.'

'Dat kan jij toch ook?'

'Ik niet,' zei Tony. 'Meisjes weten hoe ze moeten wassen, jongens niet.'

'Dan mag jij de vrieskist in,' zei Tina kwaad. 'Want ik weet niet hoe ik een jongensbroek moet wassen.'

Na enig geruzie ging de wasmachine aan en enkele ruzies later kwam hun moeder thuis.

'Heb je wit waspoeder gebruikt?'
Tina sprong op.
'Ik heb niks gebruikt. Vergeten!'
'Pech gehad,' zei haar moeder. 'Dan wordt die broek van Tony niet schoon.'
Ze barstten bijna in tranen uit.
'Dat kan niet. We hebben ze vanmiddag nodig. Juf wordt razend als we geen witte broek hebben.'
'Ze vermoordt ons,' zei Tina.
'Als hij niet schoon wordt, ga ik een nieuwe kopen,' zei Tony. 'Al kost het al mijn spaargeld.'
Hun moeder deed het laatje van de wasmachine open en goot het halfvol waspoeder.
'Misschien lukt het.'
Maar het lukte niet.
Tony's broek zat vol vale vlekken. En er was geen tijd meer om een nieuwe te kopen.
'Trek je zomerbroek aan,' zei Tina.
Haar moeder protesteerde, maar Tony zei: 'Ik vat nog liever kou en ik loop nog liever voor gek dan dat ik straf krijg.'
Ze waren precies op tijd op school.
Juf stond hen op te wachten in een wijde smetteloos witte jurk. Ze keek naar Tony in zijn dunne witte shorts.
Ze knikte goedkeurend.
'Jij begrijpt het,' zei ze. 'Jij bent het best gekleed van allemaal.'
'Ja juf,' zei Tony met zijn liefste stemmetje en ging gauw zitten.
'Ik heb thuis alles nog eens goed nagelezen in het Grote Eskimoboek,' zei juf. 'Ik heb uitgerekend dat we onze dans om precies vijf voor twee moeten beginnen. De Eskimo's begeleiden hun dans met een soort waaiers van zeehondenhuid. Die hebben wij natuurlijk niet. Maar wij doen alsof. En

we kunnen onze dans versterken door een geluid dat de Eskimo's zelf ook maken.'

Ze legde haar hand tegen haar mond en stootte hem ritmisch tegen haar lippen, terwijl ze 'oewoewoe awawa' riep.

'Mogen we oefenen, juf?' riep Jopie.

'Nee, nee,' zei juf verschrikt. 'Dan verbreken we de kracht.'

Tot kwart voor twee kregen ze onderricht in de uitvoering van de Eskimodans: ze moesten voorovergebogen in een kring lopen, op hun blote voeten. Ze moesten hun rechterbeen hoog optillen en weer neerzetten. En ondertussen hun linkerhand in de lucht houden en de hele tijd 'oewoewoe awawa' roepen.

'En niet schreeuwen, niet zingen, niet koeren als een duif. Het moet lieflijk klinken,' zei juf. 'Je moet de sneeuw als het ware verleiden.'

Ze keek voortdurend op haar horloge.

Ze werd steeds zenuwachtiger.

Opeens keek ze naar Sammy.

'Met zo'n zwart gezicht kan je niet meedoen,' zei ze. 'Alles moet wit zijn, hagelwit.'

'Zal ik dan maar naar huis gaan?' vroeg Sammy hoopvol.

'Natuurlijk niet,' zei juf. 'In deze verschrikkelijke situatie, waarin de warmte ons als een vijand besluipt, kunnen we niemand missen. Kom maar hier, dan verven we je wit.'

Jopie, Janus en twee meisjes moesten van gestampte krijtjes en water witte verf maken. Juf zelf smeerde het op Sammy's gezicht. Gelukkig had hij witte sokken aan en had juf een paar witte handschoenen. Ze pasten niet helemaal, maar dat deed er niet toe.

Om tien voor twee haalde Janus zijn neus op.

Het was zo stil in de klas dat iedereen het hoorde.

'Niet doen, Janus!' riep juf. 'Je moet het opeten. Dat doen de Eskimo's ook. Het helpt, Janus. Dat weet ik zeker.'

De kinderen keken juf verbijsterd aan.
Lena werd wit om haar neus.
Iemand anders kokhalsde.
Janus keek een beetje dom voor zich uit. Tot er een grote bel aan zijn neus bleef hangen.
'Nu!' riep juf.
Niemand wist of Janus de snottebel echt had opgegeten. Vliegensvlug bracht hij zijn hand naar zijn neus en nog vlugger veegde hij zijn neus aan zijn mouw af.
'Dat was lekker, juf,' zei hij tevreden.
Juf keek hem stralend aan.
'We gaan meteen naar buiten,' zei ze. 'Voor het te laat is!'
Er was niemand op het schoolplein. Ze moesten in een kring gaan staan. Om precies zeven minuten voor twee zetten ze zich in beweging. Juf klapte in haar handen en riep:
'De linkerhand hoger! Laat duidelijk zien dat je symbolisch

de waaier van zeehondenhuid draagt! En harder roepen. Luider, kinderen, luider!'

Voor december was het misschien niet koud, maar ze kregen allemaal ijskoude voeten. Een van de jongens begon zelfs te huilen. Juf merkte het gelukkig niet. Van de kinderen keek ze naar de lucht en opeens krijste ze:

'Het helpt! Het helpt!'

Het was waar.

Boven de school dreven donkere wolken en opeens begon het te sneeuwen. Het waren grote natte vlokken die onmiddellijk smolten, maar toch sneeuw.

Ze hadden juf nog nooit zo blij gezien.

'We gaan nog een halfuur door!' riep ze. 'Jullie zijn fantastisch. Morgen een feestje!'

Hoofdstuk zes

Schrik bij de moeders, vreugde bij de kinderen en een feest dat niet goed afloopt.

'Het is niet waar,' riep de moeder van Tina en Tony. 'Met je blote voeten op dat vieze schoolplein? Daar ga ik wat van zeggen.'

'Zo vies was het niet,' zei Tony. 'Het was koud.'

Hun moeder hoorde alleen het eerste.

'Vies is vies, Tony. Denk eens aan al die smerige schoenen van de kinderen die daar gespeeld hebben. Nee, dat pik ik niet. Morgen ga ik naar school.'

Tina en Tony keken elkaar aan.

'Het was echt schoon, mama,' zei Tina. 'Juf heeft het zelf gedweild.'

'Meen je dat? Het hele schoolplein? Dat zou ik niet van haar gedacht hebben. Daar gaan we dan maar eens een lekkere kop chocola op drinken.'

Janus kreeg thuis thee.

'Meen je dat echt?' krijste zijn moeder. 'Moest je doen of je een Eskimo bent? Is dat mens gek geworden. Je bent een Nederlander, jongen. Geen Eskimo. We hebben ellende genoeg van al die vreemdelingen.'

Janus vertelde maar niet dat hij zijn eigen snot moest eten.

'Nee mama,' zei hij geduldig. 'We hebben sneeuw opgeroepen.' Hij deed voor wat ze op het schoolplein hadden gedaan.

Zijn vader lag dubbel van het lachen.

'Leren ze je dat op school?' schaterde hij. 'Oe oehoe! Het lijkt daar wel een gekkenhuis.'

'Het begon anders echt te sneeuwen, hoor,' zei Janus kwaad. 'Zo gek was het nou ook weer niet.'

Zijn vader kwam niet meer bij.

'Ik zie het voor me,' hikte hij. 'Moeder, zullen we effe...'

'Ik vind het niet leuk,' zei ze. 'Echt niet.'

Dat zei de moeder van Sammy ook.

'Met je blote voeten op die natte speelplaats. Straks word je nog ziek, schat. Ik ga meteen vitaminetabletten voor je kopen. En ik ga naar school.'

'Liever niet,' zei Sammy. 'Ik heb zo al geduvel genoeg.'

'Toch niet omdat je zwart bent?'

'Nee hoor, ze zei vanmiddag nog dat ik bijna wit lijk.'

'Dan is het goed,' zei zijn moeder. 'Maar ik heb wel bezwaar tegen dit soort bijgelovigheid. We leven niet in de middeleeuwen.'

'Maar het is wel gaan sneeuwen.'

'Niet erg lang. Kijk maar eens naar de lucht.'
Die was grijsblauw.

De moeder van Jopie Eigenheimer zag het ook.

'Al die flauwekul voor niks. Ik weet niet wat je gedaan hebt, maar je zit onder de vlekken.'

'Ik heb mijn eigen snot opgegeten,' zei Jopie kwaad. 'Is het nou goed?'

'Dat zeg je niet. Zoiets smerigs.'

Jopie liep boos de deur uit.

Net als de vader van Lena.

'Ik geloof er geen woord van,' tierde hij. 'Zo'n heidens gebruik op een Nederlandse school. Je hebt het helemaal verkeerd begrepen. Zoiets doet deze juffrouw niet.' Met grote stappen bonkte hij de trap op, naar zijn studeerkamer.

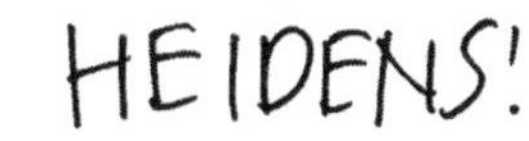

Maar het humeur van de kinderen was niet kapot te krijgen. Ze keken die avond allemaal op de thermometer. Die zakte tot vijf graden boven nul.

De volgende ochtend waren het er drie.

De ramen stonden wijd open en de kou golfde naar binnen.

'Wat een heerlijke dag,' zei juf. 'Echt een dag om feest te vieren. Een ijsfeest.'

Eerst dachten de kinderen nog dat ze ijs zouden krijgen,

maar juf trok de gordijnen dicht en zei: 'Vanochtend werken wij niet. Ik laat jullie een film zien over de Noordpool, het mooiste gebied van de wereld.'

De film begon meteen.

Terwijl de kinderen zaten te vernikkelen van de kou, keken ze naar een sneeuwlandschap. Het was eindeloos. Ze zagen alleen sneeuw, sneeuw en nog eens sneeuw. Daarna voetafdrukken van een ijsbeer. Daarna de ijsbeer zelf. Met voorzichtige stappen liep hij door de sneeuw 'naar het water,' zei juf. 'Instinctief weet hij waar dat is.'

Opeens zagen ze een stukje zwart water. Op de rand van het ijs lag een zeehondje. In de verte zagen ze de ijsbeer aankomen. Voetje voor voetje. Zijn kop naar beneden. Alsof hij een spoor volgde.

'Hij is zo slim!' zei juf. 'Kijk maar!'

Het zeehondje bewoog. Het ging rechtop zitten. Keek alsof het onraad vermoedde. Opeens plonsde het in het water. De ijsbeer rende eropaf. Het was zo spannend dat de kinderen geen kou meer voelden. Ze konden hun ogen niet van het scherm afhouden. En voor ze konden beseffen wat er gebeurde, had de ijsbeer het zeehondje uit het water getrokken. Hij zette zijn tanden erin en begon het meteen op te eten. De sneeuw werd rood van het bloed.

'Wat een geweldenaar,' zei juf opgetogen. 'Daar kan toch geen mens aan tippen.'

De kinderen zaten verstijfd te kijken.

Gelukkig verschoof het beeld naar een groot open water, omringd door hoge ijsbergen. In het midden dreef een ijsschots.

'Is dat niet prachtig,' fluisterde juf. 'Dit is de natuur op z'n schoonst. Die stilte, dat witte ijs, dat zwarte ondoorgrondelijke water. Iets mooiers kan ik niet bedenken.'

De film was afgelopen.

Terwijl juf de dvd in de doos deed, werd er geklopt. Koffie voor juf en voor alle kinderen een bekertje limonade. 'Tenslotte is het feest,' zei ze. 'Dat hebben jullie wel verdiend.'

Haar gezicht betrok toen ze de gordijnen openschoof. De zon scheen en het licht viel schel naar binnen. Juf liep naar de thermometer en gaf een gil: 'Bijna tien graden. Of het zomer is! Zomer!'

'Het kan vandaag wel vijftien graden worden,' zei het kind van de koffie. 'De meester zegt dat het abnormaal is.'

'Ga weg!' krijste juf. 'WEG!'

Ze plofte neer op haar stoel.

Ze zag zo wit als de sneeuw op de film.

'Uw koffie, juf,' zei een meisje.

Juf begon langzaam te drinken.

'Heb je dorst?' vroeg ze aan het meisje. 'Kom dan maar hier.'

Het meisje liep naar de tafel en pakte een bekertje. Juf wees op de prullenbak en zei: 'Leeggooien.'

Het meisje keek haar aan.

Ze snapte er niets van.

'Leeggooien,' zei juf. 'Blijkbaar hebben jullie gisteren niet goed je best gedaan. Geen feest dus en geen limonade.'

Een voor een moesten de kinderen naar voren komen om hun bekertje leeg te gooien.

'Wie knoeit, gaat de ijskast in,' zei juf. 'Jullie verprutsen alles. Zelfs het klimaat.'

Hoofdstuk zeven

Overal juf: in de krant, op de televisie, op de radio, zelfs in de klas. Arme, arme kinderen, maar gelukkig...

'Kijk nou es,' zei de vader van Janus. 'Die kop ken ik.'
'Allicht,' zei zijn moeder. 'Het is de juf van Janus.'
Haar hoofd op het televisiescherm lachte de kamer in.
'Janus!' riep ze naar boven. 'Kom eens gauw. Je juf!'
'O nee,' kermde Janus.
Struikelend over zijn eigen voeten kwam hij de trap af.
Het viel gelukkig mee.
Ze was er niet echt.
Hij pakte zijn telefoon en sms'te naar Tina.
Die zat allang te kijken.
Juf zat in een politiek programma.

'Als ik minister was,' zei ze, 'zou ik maatregelen nemen. De mensen ervan overtuigen...'
'Wilt u wel minister worden?'
Het was of juf op een idee kwam.
'Ja,' zei ze. 'Ik denk dat ik buitengewoon goed zou zijn.'
'En wat zou u dan doen?'
'Ik zou de mensen duidelijk maken dat ze geen misbruik meer van onze energie moeten maken. Door misbruik smelt het ijs en stijgt de zee. We moeten maatregelen nemen. Moe-

ders brengen hun kinderen met de auto naar school. Ze kunnen toch lopen! En dan die oververhitting. Wat onze verwarming kost! Die kan lager, veel lager.

We moeten plannen maken. En in die plannen moeten we onze kinderen betrekken. Als onze kinderen beseffen wat wij de natuur aandoen, zullen ze meewerken. Daarvan ben ik overtuigd. Dan gaan ze zich ook beter gedragen. Nu maken ze telefooncellen kapot, vernielen ze bushokjes, gooien ze ramen in, stichten ze brand... Geef ze iets om voor te leven. Door het klimaat krijgen we ideale kinderen. U zult het zien.'

'Mevrouw,' zei de televisiemeneer. 'Dat is de oplossing. U bent geweldig.'

Zo ging hij nog een tijdje door, tot er een meisje in beeld kwam.

'We worden overstelpt met e-mails. Ze zijn het allemaal met mevrouw eens. Sommige mensen zeggen zelfs dat de auto's van de straat moeten en dat alle verwarmingen uit moeten.'

Juf knikte ontroerd.

Ze veegde een traan uit haar oog.

'Zo is ons volk,' zei ze. 'Tot alles bereid. Ik heb de mensen de ogen geopend. Ik wil niet dat ons land overstroomd wordt.'

'Er zit wat in,' zei de moeder van Tina tegen haar man. 'Stel je voor dat ik straks mijn nieuwe tafel door de straat zie drijven. Ik moet er niet aan denken.'

'Ik denk dat het allemaal niet zo'n vaart zal lopen,' zei hij. 'Dat mens overdrijft.'

Daar was bijna niemand het mee eens.

De volgende dag stonden de kranten vol.

Je kon de radio niet aanzetten of je hoorde juf.

Ze was zelfs op het nieuws.

'Ik wil graag minister worden,' zei ze, 'maar ik moet eerst mijn taak op school afmaken.'

'U bent geweldig,' zei de televisiemeneer.

Dat vond de directeur van de school ook.

De volgende ochtend kwam hij met een grote bos bloemen de klas in.

'Ik zal veel strenger worden,' zei hij plechtig. 'En vanaf nu zet ik de verwarming lager.'

Daarna gingen ze verder met de les.

Lena had 'ik word' met 'dt' geschreven en moest de ijskast in. Ze was zo van streek, dat ze haar duidelijk hoorden huilen. Juf deed de deur open en zei: 'Als ik je nog een keer hoor, wordt het de vrieskist. Begrepen?'

Ze gooide de deur dicht en ze hoorden niets meer.

Tina zat te trillen van kwaadheid.

Juf zag het en zei: 'Je wilt toch niet zeggen dat je het koud hebt?'

'Nee juf,' stotterde Tina.

'Schiet dan op met je werk.'

Ze kregen nieuwe sommen op: als het in Europa gemiddeld twintig graden is, hoeveel sneeuw ligt er dan in Lapland?

Als we allemaal de verwarming of de gaskachel aan hebben, hoeveel ijs komt er dan van de hoogste berg op de Noordpool?

Hoe snel smelt het?

Hoeveel graden warmer wordt het water?

Het was koud in de klas, maar de meeste kinderen hadden het warm van ellende. Ze wisten niet hoe ze de sommen uit moesten rekenen en ze durfden het ook niet aan juf te vragen.

Gelukkig stormde tegen tienen de directeur de klas in.

'Er staan wel tien journalisten op de stoep,' riep hij buiten adem. 'De fotografen zijn niet te tellen. Ze willen interviews.'

'Ik kom,' zei juf.

'Zou het niet aardiger zijn als u ze in de klas ontvangt?' vroeg de directeur. 'Dan maakt u tegelijkertijd een beetje reclame voor onze school.'

'Over een kwartier,' zei juf. 'Als we klaar zijn met de les.'

'Natuurlijk,' zei de directeur en hij ging stralend weg.

Lena mocht de ijskast uit en op haar plaats gaan zitten. Even later kwamen de journalisten en de fotografen binnen. De journalisten wisten niet hoe vlug ze schrijven moesten en de fotografen maakten de ene na de andere foto.

'Een beetje lachen, kinderen!' riepen ze. 'Niet zo ernstig kijken.'

'Ze zijn bang dat ik wegga,' zei juf. 'Maar ik heb beloofd dat ik tot aan de vakantie zal blijven. Dat hebben we afgesproken, hè?'

Er kwam geen reactie.

'Ze zijn nog zo verlegen,' zei juf. 'Zelfs op deze leeftijd. Vinden jullie het erg als ik wegga? Geef eens antwoord.'

'Ja juf,' zongen ze in koor.

'U hoort het,' zei ze stralend.

'Wordt u echt minister?'

'Ik zal er zeker over nadenken.'

'Bent u al gevraagd?'

'Heren, heren,' lachte juf. 'Ik moet lesgeven. Die arme kinderen moeten Cito-toetsen doen. Ze hebben aandacht nodig, aandacht...'

'Nog een ding: denkt u echt dat de kinderen zich beter gaan gedragen als we ze klimaatgedrag bijbrengen?'

'Absoluut,' zei juf. 'Zet u dat maar in de krant.'

Nog diezelfde avond stond het in de krant.

Nieuwe methode tegen vandalisme

Jeugd mist doel en uitdaging in het leven!

Ledigheid en verveling leiden enkel maar tot vandalisme. Geef de jeugd een uitdaging en een doel om voor te leven en ze zullen niet meer talen naar het uithalen van rottigheid.

Volgens de beroemde klimaatjuffrouw is het grote manco van deze tijd dat de jeugd teveel in de watten wordt gelegd. Ze komen bij de geboorte al terecht in een gespreid bedje. Wanneer je je positie niet meer behoeft te bevechten leidt dat tot ontevredenheid en een minderwaardigheidsgevoel. Iemand die zich minderwaardig voelt, gaat dat compenseren door zichzelf te ... stoer te doen.

De vaders en moeders lazen het. In het hele land waren ze het eens: dit was de manier om kinderen weer fatsoen bij te brengen.

Zelfs de oma van Sammy knikte goedkeurend.

'Als kinderen weten waar ze het voor doen, komt alles goed,' zei ze. 'Dat is waar.'

Sammy zei niets.

Hij dacht aan zijn moeder die binnenkort zou vertrekken. Dat vond hij erger dan de ijskast of de vrieskist.

De volgende ochtend was het drie graden kouder en juf was in een goed humeur.

'Zo loedertjes,' zei ze. 'Ik zal jullie leren hoe je sommen moet maken.' Ze wapperde met een stapel blaadjes. 'Hier heb ik bijvoorbeeld de sommen van Tina. Allemaal fout. Kan jij eigenlijk wel rekenen?'

'Ja juf,' antwoordde Tina. 'Ik...'

'Ik geloof er niets van,' zei juf vriendelijk. 'Ga jij maar eens een tijdje in de ijskast.'

'Maar ik kan er niets aan doen!' riep Tina. 'Ik weet niet hoe ik ze moet uitrekenen.'

Juf keek lachend de klas in.

'Vrieskist.'

Toen stond Janus op.

'Ik weet het ook niet, juf. En Jopie en Lena ook niet. En... We weten het allemaal niet.'

Het was opeens doodstil.

Stiller kon het niet.

Juf vouwde haar armen over elkaar.

Ze keek de kinderen een voor een aan.

'Dat wordt dus...'

Ze werd onderbroken door getik op het raam.

Boven het kozijn verscheen een hoofd.

Het hoofd van een fotograaf.

'Wilt u zo blijven staan?' riep hij. 'Dan ga ik een mooie foto van u maken.'

Juf lachte.

'Praat maar rustig door. Ik zoek wel een goed moment.'

‘Wat leuk,’ zei juf met haar liefste stemmetje. ‘Ik hoop dat de kinderen er ook op komen.’

Ze legde de blaadjes met sommen op tafel.

‘Die komen later wel,’ zei ze met een lachje. ‘We gaan eerst een opstel maken. Het onderwerp is: hoe voel ik mij als ijsbeer wanneer de sneeuw begint te smelten.’

De blaadjes werden uitgedeeld.

De fotograaf maakte foto’s tot de bel ging.

Ze mochten naar buiten.

Ze hadden nergens zin in.

Als een stelletje oude mensen stonden ze bij het fietsenhok.

‘Als ik de vrieskist in moet, ga ik naar huis,’ zei Tina opstandig.

‘Ik denk dat ik een koude douche krijg.’

‘Word je eindelijk schoon, Janus,’ zei Sammy, maar niemand lachte.

'Als het zo doorgaat, loop ik weg,' snikte Lena.

De pauze was om.

Zonder herrie, zonder praten, zonder grappen gingen ze naar hun plaats.

'Ik heb een heuglijke mededeling,' zei juf. 'Ik heb net van de fotograaf gehoord dat het morgen hard gaat vriezen. Dat wordt een feest, kindertjes. Allemaal op blote voeten, in de blote bast naar buiten.'

Om twaalf uur stonden ze op straat.

'Ik heb het gehad,' zei Tony. 'Wat een wijf.'

'Ik geloof dat ik een idee heb,' zei Jopie geheimzinnig. 'Wacht maar af.'

Hoofdstuk acht

Een spannend gesprek. Jopie Slim. Voor niks gaat de zon op. Bijna ruzie en een spannend einde.

De volgende dag was het koud, maar het vroor niet. Ze spraken na schooltijd bij de supermarkt af.

'Want,' zei Jopie geheimzinnig, 'de muren hebben oren en de verraders slapen niet.'

Janus, die bijna altijd geld kreeg, had een grote zak chips gekocht.

'Nu nog cola,' zei Tony, terwijl ze op het muurtje bij de parkeerplaats gingen zitten.

Lena zat te rillen.

'Volgens mij vriest het,' zei ze. 'Schiet alsjeblieft op, Jopie. Ik vernikkel.'

'Ik weet een manier om de vrieskisten uit te schakelen,' zei Jopie. 'In de meterkast zit een knop. Als je die omdraait zit een deel van de school zonder stroom. Wij horen daar bij. Dus als we...

'Hoe kom je bij de meterkast,' zei Tina. 'Weet je waar die zit?'

'Ik niet,' zei Jopie, 'maar Pieter, de hulp van mijn vader, wel. Die komt hier vaker. We zouden hem eropaf kunnen sturen.'

'Geweldig!' schreeuwde Tony.

'Hou je kop,' siste Sammy. 'Straks weet iedereen waar we het over hebben.'

'Het lijkt mij niks,' zei Tina. 'Je kan die knop toch ook weer terugdraaien?'

'Pieter kan de leiding doorknippen en de knop in zijn normale stand zetten.'

'Kan dat echt?'

'Alles kan. Als je het maar goed doet.'

'Dan doen we het,' zei Sammy.

'En dan gaan we nu naar huis,' zei Lena. 'Mijn billen zitten vastgevroren.'

Ze stonden bijna allemaal op.

'Wacht effe,' zei Jopie. 'Voor niks gaat de zon op. Pieter moet natuurlijk wel wat hebben.'

'Hoeveel?'

'Een paar tientjes, denk ik.'

'Echt Jopie Slim,' zei Tina nijdig. 'Zoveel geld hebben we toch niet...'

'Ik weet wat,' zei Tony. 'In de kerk hebben ze toch zo'n pot staan waar je geld in moet gooien? Als Lena die nou eens leeghaalt?'

'Dat doe ik niet,' zei Lena opgewonden. 'Dat is stelen. Weet je dat niet?'

'Ja Tony,' zei Sammy. 'Dat...'

'Het was toch maar een grapje,' mompelde Tony.

'We zijn met z'n zessen,' zei Jopie. 'Als we nou allemaal vijf euro meenemen. Dat moet toch kunnen. Wie heeft er nog zakgeld?'

Niemand.

'Een paar euro kan ik wel pikken,' zei Janus pesterig. 'Maar vijf...'

Lena deed of ze het niet hoorde.

'We zeggen thuis dat het voor een goed doel is,' zei Tina. 'Dan krijgen we het wel.'

'Dan ken jij mijn vader niet,' zei Janus.

'Jullie zullen me wel weer uitlachen...' begon Lena.

'Hoe kom je erbij,' zei Tina.

‘Maar ik ben tegen liegen en stelen. Dat vind ik verschrikkelijk. Verschrikkelijk.’

‘Als je dan maar niet zeurt als je in de vrieskist moet,’ zei Jopie giftig. ‘Jullie kunnen allemaal het rambam krijgen. Ik doe niks meer.’

‘Ben je op je teentjes getrapt?’

‘De prinses op de erwt,’ zei Janus.

Jopie sprong op.

‘Kom eens hier als je durft, dan zal ik je een erwt op je stomme smoel geven.’

‘O, ja?’ riep Janus. ‘Ik...’

Lena kwam tussenbeiden.

‘Geen ruzie, jongens. Jopie bedoelt het goed, Janus. Ga nou zitten. Niet slaan, Jopie!’

‘De vredesengel,’ zuchtte Tina. ‘Ik heb best zin in een beetje boksen. Sla erop, Jopie. Neem hem te grazen, Janus!’

De jongens waren verstandiger en gingen zitten.

'Ik heb een idee,' zei Sammy. 'We gaan nu naar de school. Wij staan op de uitkijk en Jopie probeert de stroom uit te schakelen.'

'Kan niet. Het alarm is aan.'

'Niet als de conciërge er is.'

'Dan komen we er niet eens in.'

'Ik heb ook geen tang,' zei Jopie.

Ze werden onderbroken door iemand van de supermarkt.

'Wat doen jullie hier?'

Tina had af en toe een super idee.

'Ach meneer,' zei ze met haar liefste stemmetje. 'Hij heeft mijn fietssleutel verloren en nu moet de ketting doorgeknipt worden, maar we hebben geen tang... Misschien mogen we er van u eentje lenen?'

'En dan zeker nooit meer terugbrengen!'

Lena sprong op.

'Ik zweer dat hij terugkomt, meneer. Ik zal er zelf voor zorgen. Mijn vader...'

'Is toch de dominee?'

'Ja meneer. En mijn vader...'

'Goed. Kom dan maar even mee.'

Jopie ging mee de supermarkt in en kwam even later terug met een tang.

'Kan je met zo'n dingetje de hele school in het donker zetten?'

'Als ik binnen kan komen,' zei Jopie. 'Dat moet ik nog zien.'

Het lukte. De conciërge was druk bezig met het buitenzetten van de containers.

Jopie en Tina mochten naar hun klas om een vergeten rugzak op te halen. De anderen hielpen met de containers. Gelukkig hield de conciërge van een praatje en een sigaretje. Sammy bleek talent te hebben om hem aan de praat te houden.

Intussen waren Jopie en Tina op zoek naar de meterkast. Alle deuren die ze zagen deden ze open. Ze vonden van alles, maar geen meterkast. In de kamer van de directeur sloeg een klok.

'Weet je wat ik denk?' zei Tina opeens. 'Dat ie bij de voordeur zit. Net als bij ons thuis.'

'Dan kunnen we het wel schudden,' zei Jopie. 'Daar kan ik niet ongezien in komen.'

Hij deed de deur naast het bezemhok open.

De meterkast.

In het halfdonker zagen ze drie rijen zwarte schakelaars en vier witte knoppen.

'Ik weet niet welke ik hebben moet,' kreunde Jopie.

'Dan neem je ze toch allemaal.'

Op hetzelfde moment hoorden ze stemmen.

Janus en Tony schreeuwden bijna.

‘Schiet op,’ fluisterde Tina.

Met een trillende hand trok Jopie aan de meest linkse knop. Tina ging in de gang op de uitkijk staan. Ze kon de anderen duidelijk horen. Ze waren in de hal, bij de ingang.

‘Volgens mij hebben we de container bij het fietsenhok vergeten,’ riep Lena.

Gemompel van de conciërge.

‘We gaan toch even kijken,’ riep Lena.

De buitendeur sloeg dicht.

Geen stemmen meer.

Die durft, dacht Tina. Ze nam zich voor om altijd aardig voor Lena te zijn.

Jopie had een draad doorgeknipt en zette de knop weer in de juiste stand.

‘Als je eraan komt, valt hij eraf,’ zei hij. ‘Laten we hopen...’

‘Schiet nou maar op,’ jachtte Tina. ‘Straks...’

Ze waren allemaal gelijktijdig bij de deur.

‘Hallo!’ riep Tina uitbundig. ‘Gaan we naar huis?’

De conciërge bekeek haar van top tot teen.

‘Waar is je rugzak?’ vroeg hij wantrouwend.

‘Niet gevonden,’ zei Tina. ‘Ik denk dat hij thuis is.’

‘Laten we maar gauw gaan kijken,’ zei Lena.

De conciërge vroeg niet verder en ze liepen het schoolplein af, de straat op, naar de supermarkt.

Lena bracht de tang terug.

‘Keurig hoor,’ zei de meneer van de supermarkt en gaf haar een zak spekkies.

Een maand over tijd, maar lekker.

Hoofdstuk negen

Storm, water, een walvis en tafels waar je niet aan kunt eten. IJs waar je op kunt zitten. Lena brengt uitkomst en bijna zonder broek.

Die nacht stak er een storm op. Pannen waaiden van daken, bomen werden ontworteld, takken braken af en treinen stonden stil, omdat bovenleidingen kapot woeien. Af en toe zweepte de regen door de straten, zodat hier en daar het wegdek onder water kwam te staan. Het was of de wind huilde met gierende snikken. Bijna iedereen werd er wakker van.

Ook Tina en Tony. Hun vader en moeder waren druk in de

weer. Een paar dakpannen waren op straat in stukken gekletterd en het leek wel of het ook in huis regende. Ze hadden drie teilen en een emmer vol lekwater.

Om zes uur zaten ze met elkaar thee te drinken.

Het was gelukkig droog, maar het stormde nog steeds.

Ook toen ze naar school moesten.

Bij het schoolplein werden ze bijna omver geblazen.

De verschrikkelijke schooljuffrouw keek zwartgallig de klas rond.

'Dat komt ervan als de aarde opwarmt,' zei ze. 'Alles gaat eraan. Alles.'

De ramen konden niet open vanwege de wind.

'Geeft niks,' zei juf. 'Wij gaan naar buiten. Het schoolplein op. Wij gaan weer om sneeuw smeken. Net als de Eskimo's.'

Ze werden tegengehouden door de directeur.

'Maar wij willen gewoon rondjes lopen,' zei juf. 'Dat is gezond.'

De directeur was onverbiddelijk.

'Het is buiten te gevaarlijk,' zei hij. 'Er vliegt van alles door de lucht.'

'Dat is toch zo erg niet,' zei juf. 'Ik...'

Ze kreeg haar zin niet.

Knorrig keek ze de klas rond.

De kinderen hadden een dun T-shirtje aan. Er viel niets te straffen.

'Ik wil het met jullie over Groenland hebben,' zei ze. 'Wie wonen daar?'

Stilte.

'WIE WONEN DAAR?'

'Groenlanders?' zei een slimmerik.

'Eskimo's!' riep Janus, terwijl hij zijn neus ophaalde.

Juf keek verheugd.

'En wie zwemmen er in zee?'
Stilte.
'Weet niemand het?'
Het klonk dreigend.
'Groenvissen,' antwoordde een meisje ten einde raad.
Juf werd rood.
Gelukkig flitste op dat moment het licht van de bliksem door de lucht. Een ogenblik leek het of de klas in brand stond.
Er volgde een dreunende slag.
Enkele kinderen begonnen te gillen.
'Stel je niet aan,' riep juf. 'Ik wil weten wie er in de zee bij Groenland zwemt.'
'Walvissen!' verzon Janus.
'Perfect,' zei juf. 'Kom voor de klas, Janus. Vertel eens wat er met die arme walvis gebeurt als het water van de zee warmer wordt en...'
Ze keek naar de grond en zag water. Als een slang kroop het over de vloer. Janus stond er bijna met zijn voeten in.

'Maar Janus,' zei ze verbaasd en verontwaardigd tegelijk. 'Je hebt toch niet...'
'Nee juf, echt niet!' riep Janus.
Toen zagen ze het allemaal.
Het water kwam uit het kastje waar vroeger het wasbakje was. De ijsblokjes waren aan het smelten.
Juf liep er met grote stappen naartoe.
Ze tilde het deksel op en

zag de smeltende ijsblokjesmassa.

'Hoe kan dat nou?' vroeg ze verbaasd.

'De bliksem is ingeslagen,' riep Jopie vlug.

'Onzin,' zei juf. 'Die blokjes kunnen niet in tien minuten smelten.'

'De bliksem is heet, juf.'

Op dat moment kwam de directeur binnen.

'De bliksem is in de leiding geslagen. De elektriciteit is uitgevallen. De halve stad zit zonder licht.'

'Daardoor laten wij ons niet ontmoedigen,' zei juf. 'Haal alle ijsklontjes uit de bak, Jopie. Gooi ze in deze teil.'

Na twee minuten had hij handen van ijs.

'Ik bevries, juf,' zei hij, half huilend.

Juf keek hem met ijskoude ogen aan.

'Zet de teil in de hoek. Bij de ringen.'

Daarna mocht hij gelukkig gaan zitten.

'De tafel van honderdzevenenvijftig,' zei juf tegen Tony.

Alleen de eerste regel ging vlug.

De tweede duurde een tijdje, maar bij de derde stond Tony te hakkelen en kwam er geen antwoord.

'Met je blote voeten in de teil,' zei juf.

'Maar ik heb niks gedaan!' riep Tony.

'Wou je aan de ringen?'

Dat wilde Tony natuurlijk niet. Hij trok zijn schoenen en sokken uit en ging in de teil met smeltende ijsblokjes staan.

De wind loeide over het schoolplein.

De regen sloeg tegen de ruiten.

'De tafel van zeven en een half,' zei juf met een lief stemmetje... 'Dat lijkt me iets voor Lena.'

Gelukkig voor Lena ging op dat moment de deur open.

'Mevrouw,' zei de directeur, 'het probleem met de elektriciteit is tijdelijk verholpen, maar we mogen het net niet overbelasten. Wilt u de vrieskisten even uitschakelen?'

'Ja hoor,' zei juf. Ze wachtte tot de directeur weg was en lachte: 'Voor ieder probleem is een oplossing.' Ze pakte haar telefoon en een kwartier later kwam er een man de klas in met twee grote balken ijs.

'Daar,' zei juf en wees naar de vrieskist.

'Erin?'

'Erop,' zei juf.

De man legde de blokken ijs op de vrieskist.

'We gaan verder met de tafels,' zei juf. 'Die zijn erg belangrijk. Je moet ze uit het hoofd kunnen opzeggen. Jopie, wat dacht je van de tafel van zeventienhonderdzesendertig.'

Jopie dacht niets.

Hij keek wanhopig naar de anderen.

Die bogen hun hoofd en deden of ze hem niet zagen.

'Op het ijs,' zei juf.

Er ging een rilling door de klas. De kinderen zagen hoe Jopie opstond en langzaam naar de vrieskist liep. Nog even keek hij hoopvol naar juf. Ze wees op de kist, keek op haar horloge en zei:

'Over een uur eraf.'

Jopie ging zitten.

Juf liep naar het raam en keek.

'De wind is gaan liggen,' zei ze. 'Het regent nog een beetje. We kunnen best naar buiten. Op blote voeten rondjes lopen.'

Tony mocht uit de teil.

Zijn voeten waren zo koud, dat hij bijna niet kon lopen. Maar juf zei: 'Flink bewegen, Tony. En vooral niet zeuren.'

De regen sloeg op hen neer. Ze waren in een ogenblik doorweekt. Juf stond onder het dakje bij de deur en klapte in haar handen: 'Eén twee drie, één twee drie. Tempo, kinderen, tempo. Laat de regen zien dat je niet bang bent. Laat zien dat hij verdwijnen moet.'

Even later kwam de directeur.

'Kan dat nu wel?' vroeg hij bezorgd. 'Als ze kouvatten krijgen we klachten van de ouders.'

'Ze vinden het heerlijk,' zei ze. 'Ze willen het zelf. Echt waar.'

De directeur ging overtuigd naar binnen.

'Nog zeven rondjes,' grijnsde juf vals. 'Dan gaan we verder met de tafels.'

Drijfnat en doodmoe mochten ze eindelijk naar binnen. Ze dachten niet aan kou. Hun hoofd zat vol tafels.

Die van honderdtwintig lukt misschien nog wel, dacht Tina wanhopig. Maar als...

Zelfs Sammy, die toch de knapste van de klas was, wist zich geen raad.

Lena bracht redding.

Ze stak haar vinger op en zei: 'Mijn vader heeft me over Alaska verteld juf. Over de kust van Alaska...'

Juf begon te stralen.

'Wat heb jij een verstandige vader,' zei ze overdreven aardig. 'Die weet tenminste waar die verschrikkelijke klimaatsverandering toe leidt. Wat heeft hij precies verteld, Lenaatje?'

'Dat de huizen aan de kust in het water vallen, juf. Het water spoelt de duinen weg en daardoor...'

'Zo is het, kind. De zeespiegel stijgt en...'

'Juf,' zei een meisje, 'hoe ziet die spiegel eruit? Kun je daarin kijken?'

Juf keek of ze de hele klas in één vrieskist wilde stoppen. Ze balde haar handen tot vuisten en haar ogen fonkelden. De kinderen waren doodsbang dat er iets vreselijks zou gebeuren, maar op dat moment riep Jopie:

'Ik zit vast, juf.'

Hij probeerde overeind te komen.

'Stel je niet aan,' zei juf. 'Zo erg is het niet.'
Jopie begon te huilen.
'Straks vriest hij dood,' zei Lena. 'U moet er iets aan doen, juf.'
Ze knikte.
Janus en Tony mochten helpen. Ze begonnen aan zijn armen te trekken, maar ze kregen hem niet overeind.
Jopie gilde. Een paar kinderen raakten overstuur en barstten in tranen uit.
Juf klapte in haar handen en riep: 'Rustig allemaal. Er is niets aan de hand. Het is trouwens zijn eigen schuld. Als hij zich beter had gedragen...'
'Het lukt niet, juf. Zijn broek zit hartstikke vast.'
'Knip hem los,' riep Sammy.
'De schaar,' riep Janus, 'waar is de schaar, juf?'
Juf was nu echt boos.
'Zijn jullie gek geworden,' krijste ze. 'Een jongen zonder broek. In mijn klas. Nooit.'
Op dat moment kwam de directeur binnen.
'We hebben weer elektriciteit,' zei hij, verheugd zijn handen wrijvend. 'Er was een knop kapot, of zoiets, maar nu is alles weer in orde. De vrieskisten kunnen weer aan, hoor!'
Hij keek naar Jopie op het ijs.
'Jij hebt zeker weer niks gedaan, hè?'
'Nee,' klappertandde Jopie, 'niks.'
'Dat zeggen jullie altijd,' lachte de directeur. 'Gelukkig weten wij beter.'
Een halfuur later zat Jopie nog steeds vast.
Janus haalde een elektrisch kacheltje.
Het was in geen weken zo lekker warm in de klas geweest. Ze konden niet zien of de ijsbalk echt smolt, maar na een tijdje konden ze Jopie toch los krijgen.

Hij kon niet lopen. Janus en Tony pakten hem op en zetten hem bij het kacheltje.

'Wat een verspilling van energie,' zei juf. 'Schandelijk.'

Hoofdstuk tien

Het weer slaat om. Juf loopt over van dankbaarheid. Kinderen als Eskimo's. Tot slot een afspraak waar Sammy zich wel aan houdt en dat heeft in het volgende hoofdstuk vreemde gevolgen.

Jopie werd midden in de nacht wakker. Hij sloeg met zijn armen om zich heen, mepte de kat van zijn bed en gilde of er brand was.

Zijn vader en moeder dachten dat hij vermoord werd.

Ze sprongen uit bed. Zijn vader pakte de wekker om de moordenaar mee op het hoofd te slaan en gooide de deur van Jopie's kamer open.

Jopie zat klappertandend in zijn bed. Zijn dekbed zat als een dwangbuis om hem heen.

'Schat!' schreeuwde zijn moeder.

'Ik geloof dat ik gedroomd heb,' zei Jopie bibberend. 'Ik was opgesloten in een ijspaleis en...'

Hij barstte bijna in snikken uit.

'Je bent van streek door het weer,' zei zijn vader. 'Het is helemaal omgeslagen.'

'Ik geloof dat ik ziek ben. Ik ga morgen niet naar school, mama.'

'Dat lijkt me heel verstandig,' zei zijn moeder. Ze schoof het gordijn open en keek de straat in. 'Er ligt een berg sneeuw. Ongelooflijk.'

Die sneeuw lag er de volgende ochtend nog. Er lag zelfs zoveel dat de kinderen van de buren een sneeuwpop maakten.

Jopie ging toch maar naar school.

Juf zou vast in een beter humeur zijn.

En zo was het ook.

Ze had haar bloemetjesjurk aan en ze lachte.

'Gauw op je plaats, kinderen,' zei ze. 'Ik doe de ramen open en we begroeten met elkaar de sneeuw. Ik loop over van dankbaarheid, want nu wordt alles anders.'

Een meisje, dat vlak bij het raam zat, kreeg wat opwaaiende sneeuw in haar hals.

'Geluksvogel,' zei juf. 'Jij boft maar weer.'

Ze ging in haar stoel zitten en zei: 'Kringgesprek. Over het klimaat.'

Een jongen die zijn ijskoude handen in zijn zakken hield, moest bij het raam gaan staan en met zijn handen de sneeuw opvangen.

'Koude handen bestaan niet,' zei juf.

'Echt wel, hoor juf,' zei een jongen. 'De mijne zijn zowat bevroren.'

'Je bent niets gewend,' zei juf. 'Het klimaat is zo verstoord, dat er geen echte winters meer zijn. Denk je dat er ooit nog een Elfstedentocht komt? Geloof het maar niet. Daarom wil ik jullie leren goed met energie om te gaan. Verwarming hoog, lampen aan, autorijden... het kost allemaal energie.'

Juf keek met een lief lachje naar de kinderen.

'Ik ben blij. Het is half december en eindelijk is het weer zoals het zijn moet. Dat wil zeggen: het klimaat is nog niet helemaal bedorven. Daarom begroeten wij de sneeuw met vreugde.'

Niemand zei iets.

'We doen onze schoenen en sokken uit en gaan naar buiten,' vervolgde juf. 'Er wordt niet met sneeuwballen gegooid en er worden geen sneeuwpoppen gemaakt. Daar is de sneeuw niet voor. Wij gaan uit dankbaarheid dansen, kinderen. We rapen de sneeuw op en strooien de vlokken over onze hoofden. Dat is bij de Eskimo's een eeuwenoude gewoonte. Het is goed dat wij in Europa die gewoonte overnemen. Begin maar. En geen drukte. Drukte verstoort de sfeer.'

Met verkleumde handen deden de kinderen hun schoenen en sokken uit. Daarna moesten ze op hun tenen de gang door, naar buiten.

Het sneeuwde met grote vlokken.

Juf bleef op de stoep staan.

De kinderen gingen het schoolplein op. Hun voeten zakten tot over hun enkels in de sneeuw.

'Dansen,' riep juf. 'Laat zien dat je dankbaar bent.'

Een jongen bleef huilend staan.

'Mijn voeten vallen eraf, juf.'

'Dat is niet erg. Ik vang ze wel op.'

Juf lachte lief. Ze bewoog haar handen of ze een koor dirigeerde.

De kinderen klappertandden. Hun gezichten waren wit als de sneeuw en hun handen waren blauw van de kou.

Juf straalde.

Net toen Tina dacht dat ze erbij neer zou vallen, riep juf: 'Sneeuw over je hoofd strooien. Nu.'

Ze bleven staan. Raapten rillend een handvol sneeuw op en gooiden die op hun hoofd. Er was niets van te zien. Hun haren waren al ondergesneeuwd.

'Tot slot wassen we ons gezicht met sneeuw,' zei juf. 'Dat is niet alleen gezond. Je wordt er ook schoon van.'

Daarna mochten ze naar binnen.

'Het lijkt wel of ik in de vrieskist heb gelegen,' fluisterde Janus.

Lena was zo door en door koud, dat ze geen antwoord gaf.

'Ik ga niet meer naar school,' zei Jopie. 'Nooit meer.'

'We gaan staken,' zei Tony.

Sammy kon van de kou niets zeggen.

Het begon te waaien en het sneeuwde zo hard, dat de ramen dicht moesten.

'Niet erg,' zei juf. 'Ik ga een film laten zien over Alaska. Doe jij de gordijnen dicht, Tina?'

Tina was stijf van de kou. Ze kon bijna niet overeind komen.

'Je bent zo sloom als een slak,' zei juf. 'Ik doe het zelf wel.'

Ze zwaaide de gordijnen dicht en zette de dvd-speler aan. De kinderen keken wel, maar ze zagen niets. Hun vingers en tenen begonnen te tintelen. Ze hoorden niet wat juf vertelde.

De tijd kroop voorbij. Tot eindelijk de bel ging en ze naar huis konden.

Bij het hek van het schoolplein bleven ze staan.

'We gaan staken! We gaan niet meer naar school! Nooit meer!'

Ze kwamen 's middags allemaal.

Behalve Sammy.

Hoofdstuk elf

Verrassingen die wel en niet leuk zijn. Bezoek. Een heel raar plan en een einde dat niemand had kunnen bedenken.

Sammy was geadopteerd door de wereldberoemde professor Young en Bright Lady Astronaut. Ze waren lieve ouders, maar bijna altijd aan het werk in Amerika. Professor Young bedacht van alles over ruimtevaart en Bright Lady Astronaut ging af en toe in een raket de ruimte in. Daarom woonde Sammy bij zijn oma.

Toen hij om twaalf uur naar huis strompelde, dacht hij maar één ding: ik zeg alles tegen oma. Die durft juf wel aan. Zijn moeder was erg moedig. Voor geen raketvlucht was ze bang, maar zijn oma was moediger. Die durfde echt alles.

Hij moest ongeveer drie straten lopen. Na twee straten was de kou uit zijn benen en werden ze weer een beetje warm.

Maar ik zeg het toch, dacht hij.

Oma gaat meteen naar juf toe.

Dat weet ik zeker.

Voor zijn huis stond een witte limousine. Zo'n auto zag je alleen op de televisie. Misschien had zijn moeder beroemd bezoek. Dat gebeurde wel vaker. Als ze thuis was, kwamen er vaak mensen die van alles wilden weten. Of ze bang was in een raket, of ze het daarin niet benauwd kreeg, of het niet raar was om te zweven, of ze het astronauteneten vies vond en nog veel meer.

Sammy vond dat niet leuk. Als er opnames waren stond de kamer vol lampen. Hij moest stil zijn en mocht zich niet laten

zien. Dan ging hij meestal met zijn oma in de keuken zitten.

Hij had geen zin om aan te bellen en liep achterom. Langs de achtertuintjes tot hij bij zijn eigen huis was. Hek open, langs het schuurtje naar de keuken.

'Dag schat!' riep oma. 'Ben je daar eindelijk. Er is een verrassing voor je. In de kamer!'

En daar stond zijn vader.

Zo maar uit Amerika gekomen!

Ze vlogen elkaar in de armen. Sammy vond het akelig dat hij moest huilen. Hij wilde het niet, maar toch vertelde hij hoe hij die ochtend op blote voeten door de sneeuw had gesjouwd en dat juf hartstikke gek was. En dat hij nooit, nooit meer naar school wilde. Hij snikte als een knulletje van vijf. Zijn moeder, die niet tegen tranen kon, huilde even hard mee.

Zijn vader sloeg zijn armen om hen heen en drukte hen

allebei tegen zich aan. Net zo lang tot ze uitgehuild waren. Met zijn rare Amerikaanse accent zei hij: 'Je hebt gelijk, Sammy. Dat waif is gek.'

Nu moest Sammy lachen.

'Als ze dat hoort,' zei hij, 'word ik meteen van school gestuurd.'

'Dat zou wel mooi zijn, maar je moet naar school. Als je niks leert kun je ook niks worden, jongen.'

Oma stond in de kamer en had alles gehoord.

'Ik ga vanmiddag meteen naar school,' zei ze. 'Ik zal die dame eens een koppie kleiner maken.'

Sammy's vader schudde zijn hoofd.

'Laten we haar uitnodigen en met haar praten.'

Dat vond Sammy's moeder een goed idee.

'Ik bel de school dat je vanmiddag niet komt,' zei ze. 'Papa moet over een paar dagen naar de Noordpool. We moeten nu van hem genieten.'

'Maar eerst de cadeaus!' zei papa.

Mama kreeg een ketting die ze niet mooi vond, oma een bontmuts die te groot was en Sammy een elektrische trein waar hij niks aan vond. De professor was een verstrooide professor en kocht altijd het verkeerde. Ze vonden het al geweldig dat hij eraan gedacht had om voor allemaal iets mee te brengen.

Het werd een gezellige maaltijd.

Daarna belde de professor de verschrikkelijke schooljuffrouw.

En dat klonk ongeveer zo:

'Sammy komt vanmiddag niet naar skool. Main waif en ik willen met you praten, mefrou. Ken jai vanmiddag bai us langs komen?'

Dat wilde juf wel.

Onder de les bedacht ze wat ze tegen de professor en zijn vrouw zou zeggen: dat ruimtevaart verschrikkelijk was. Dat het geld en energie verslond. Dat zulke beroemde mensen daar eens wat vaker aan moesten denken. Dat het een schande was dat zij Sammy niet milieubewuster hadden opgevoed.

Energieverslinders waren ze.

Milieubedervers!

Ze werd bozer en bozer.

De kinderen konden geen goed doen. De een na de ander moest in de ijskast of de vrieskist. Sommige kinderen moesten de hele middag buiten staan. Tina's oren werden met ijs ingewreven, omdat ze niet goed luisterde. Jopie moest aan de ringen, omdat hij opstandig was. En een meisje moest net zoveel ijs eten tot haar tong bevroren was.

Gelukkig hoefde niemand na te blijven, want meteen na schooltijd ging juf naar de ouders van Sammy.

Hij deed zelf open.

Juf duwde hem opzij en stapte de gang in.

Bright Lady Astronaut gaf haar een hand, bracht haar naar de kamer en zei: 'Mijn man komt zo. Hij telefoneert met de Noordpool.'

'Gaan we daar soms ook al ruimtevaartstations bouwen?' knorde juf.

'Nee,' antwoordde Bright Lady Astronaut. 'Mijn man gaat daar een onderzoek doen naar de gevolgen van klimaatverandering. We gaan er volgende week heen. Met een speciaal vliegtuig.' Ze zei het rustig, maar haar stem trilde van woede.

Juf veranderde op slag.

'De Noordpool...' zei ze zacht. 'Gaat u daar echt heen? Wat zou ik graag mee willen. O, Bright Lady Astronaut, zou u een goed woordje voor me willen doen. U bent zo beroemd, zo...'

Op dat moment ging de bel. En het volgende moment kwamen ze allemaal binnen: Tina en Tony, Jopie, Janus en Lena.

'Bright Lady Astronaut, ik pik het niet langer,' schreeuwde Tina. 'Ik...'

Ze zag juf en hield van schrik haar mond.

'Maar kind,' zei de oma van Sammy. 'Wat is er met je oren? Het lijkt wel of ze in brand staan.'

Tina begon te huilen.

'Zij heeft...' begon Jopie en barstte in snikken uit.

Bright Lady Astronaut huilde mee. Toen professor Young de deur opendeed, leek de kamer een tranendal.

'Ik moest de hele middag buiten staan,' hikte Tony. 'Ik ben versteend.'

'U bent een verskrikkelijke skooljuffrouw. Ik zal zorgen dat u ontslagen wordt!' De professor moest schreeuwen om boven het gesnik uit te komen.

Dat liet juf zich niet zeggen.

'U moest zich schamen,' krijste ze. 'U bederft het milieu. U misbruikt onze energie. U kost handenvol geld. Geld waarmee we ons milieu zouden kunnen verbeteren. U bent nog erger dan honderdduizend auto's. U hoort in de gevangenis!'

Het was opeens doodstil.

Zelfs de professor, die wel vaker was uitgescholden, wist niet zo gauw wat hij zeggen moest.

Maar Bright Lady Astronaut wel.

'Mijn man en ik zouden u wel mee willen nemen naar de Noordpool,' slijmde ze, 'maar Sammy en zijn vrienden gaan mee. Ik denk dat ons vliegtuig vol is.'

Die zat!

Tina en Tony, Janus en Jopie en Lena keken haar ongelovig aan.

'Mogen wij echt mee naar de Noordpool?' vroeg Sammy zacht. 'Hoeven we dan niet naar school?'

'Dat wil zeggen,' antwoordde zijn vader, 'Ik geev jullie onderwais. Zonder onderwais word je dom.'

'Dat mag u niet,' zei juf. 'Daar bent u niet bevoegd voor. En als u het toch doet, bel ik de minister. Dan gaan de kinderen niet mee. Daar zal ik voor zorgen.'

Tina zag het voor zich: in de Noordpool lagen ijsbergen en sneeuwvlakten. Stel je voor dat ze van juf op blote voeten moesten lopen. Of dat ze ijs moesten eten tot hun tong bevroren was.

Janus dacht niets.

Jopie had er zin in.

Alles liever dan naar school!

Tony fantaseerde dat hij voor straf een dag buiten moest staan terwijl het vijftig graden vroor.

Lena dacht aan de mooie noorderzon, maar ze wist niet zeker of die op de Noordpool scheen.

Sammy, ten slotte, wilde maar één ding: met zijn ouders mee. Weg, weg, weg!

Maar zijn ouders zeiden niets.

Ze keken elkaar aan en zwegen.

'Ik zou de kinderen zoveel kunnen laten zien,' zei juf. 'Ik zou ze echt goed onderwijs geven. Ze zouden er zoveel van leren.'

Doodse stilte.

'Ik lijk misschien een beetje boos,' zei juf, 'maar u moet toch toegeven dat het klimaat belangrijk is.'

'Zeker,' zei Bright Lady Astronaut koeltjes. 'Maar u overdrijft wel een beetje.'

'En die ijskasten en vrieskisten kosten ook een heleboel stroom,' zei Tina bijdehand.

'Dat is voor het goede doel,' zei juf bits.

Toen zei oma: 'Er moet iemand voor de kinderen zorgen. Dat doe ik.'

'Maar je hebt vliegangst,' zei Sammy.

'Niet als ik naast jou zit.'

Ze draaide zich om en ging naar de keuken.

'Alles opgelost,' zei Bright Lady Astronaut even later. 'We gaan morgen weg.'

Hoofdstuk twaalf

Een koud einde.

De volgende ochtend reden ze op Schiphol in een busje naar het vliegtuig. Het stond ver van het hoofdgebouw, dicht bij een speciale startbaan. De ouders van Sammy hadden een privévliegtuig.

'Jullie boffen maar,' zei de vader van Tina en Tony. 'Jullie kunnen de hele dag langlaufen en in de sneeuw ravotten.'

'Je gedraagt je wel behoorlijk hè?' zei de moeder van Jopie. 'Geen grote mond en...'

'Niet te veel bier drinken en niet in je bed plassen,' riep de vader van Janus.

Sommige mensen lachten.

De vader van Lena niet.

'Zul je voor elke maaltijd bidden?' vroeg hij voor de zoveelste keer. 'Waar je ook bent en door wie je gezien wordt, je moet toch je gebed doen.'

'En stuur je elke dag een kaartje?' vroeg haar moeder. 'Ik maak me zo ongerust. Stel je voor dat je ziek wordt. Het is daar zo koud.'

'Ik ga op ijsberenjacht,' schreeuwde Tony.

'Neem je een zeehondje voor me mee?'

'Elke dag drie onderbroeken aan,' zei de moeder van Janus. 'En die dikke sokken. Je weet wel, die...'

Ze waren er.

Het busje stopte voor de vliegtuigtrap. Ze haalden hun rugzakken uit de bagageruimte en namen afscheid.

'Eten wat de pot schaft, hoor,' zei de moeder van Tina en Tony voor de laatste maal. 'Niet zo zeuren als thuis. U let er wel op, hè?'

'Nou en of,' zei juf.

De oma van Sammy sloeg haar arm om Tina heen en zei: 'Ze mag net zoveel zeuren als ze wil.'

Juf snoof als een zeehond en ging verontwaardigd de trap op, het vliegtuig in.

De moeder van Janus gaf iedereen dikke, natte zoenen. Lena had het gevoel of ze onder de kledders zat, maar ze durfde niets te zeggen. De vader van Janus wel.

'Mens, die kinderen gaan de wereld niet uit. Schiet alsjeblieft op. Ik snak naar een biertje.'

Het duurde niet lang of het vliegtuig steeg op.

Ze zwaaiden tot de stewardess met drankjes kwam. Cola, sinaasappelsap en water.

'Onze juf wil graag water,' zei Jopie. 'Ik een dubbele cola.'

Juf hoorde het niet eens.

Ze vlogen nu boven de wolken die als witte sneeuwheuvels in de lucht hingen.

'Kijk eens hoe mooi ze zijn,' zei ze dwepend.

Niemand luisterde, niemand keek.

Oma en Tina zaten te kaarten. Sammy zat te lezen. Zijn ouders bestudeerden een landkaart. Lena zat te dromen en Jopie en Janus waren luidruchtig aan het ruziën.

Ook de stewardess hoorde het.

'Waar is dat nou voor nodig?'

'We willen allebei met u uit, juf.'

'Dat lijkt me gezellig,' grinnikte de stewardess.

'Maar dan blijft hij thuis,' zei Janus.

'Ik wurg je,' riep Jopie en probeerde het.

Juf stond opeens op en liep naar de cockpit.

Ze rukte de deur open.

'Meneer de piloot,' zei ze verontwaardigd. 'U vliegt veel te hard. U stoot allemaal gore troep uit en dat is helemaal niet nodig.'

Ze liep naar het dashboard, drukte een knop in en trok een hendel uit.

'Niet doen!' schreeuwde de piloot.

Het vliegtuig maakte een duikvlucht, recht naar beneden.

Iedereen gilde.

'Stel je niet zo aan,' zei juf. 'Denk liever aan het klimaat.'

Het vliegtuig klom moeizaam weer omhoog, tot het in een rechte lijn verder vloog.

'Nog één keer,' zei de piloot. 'En ik gooi u eruit.'

'Doen!' riep Tina.

Juf ging verontwaardigd zitten.

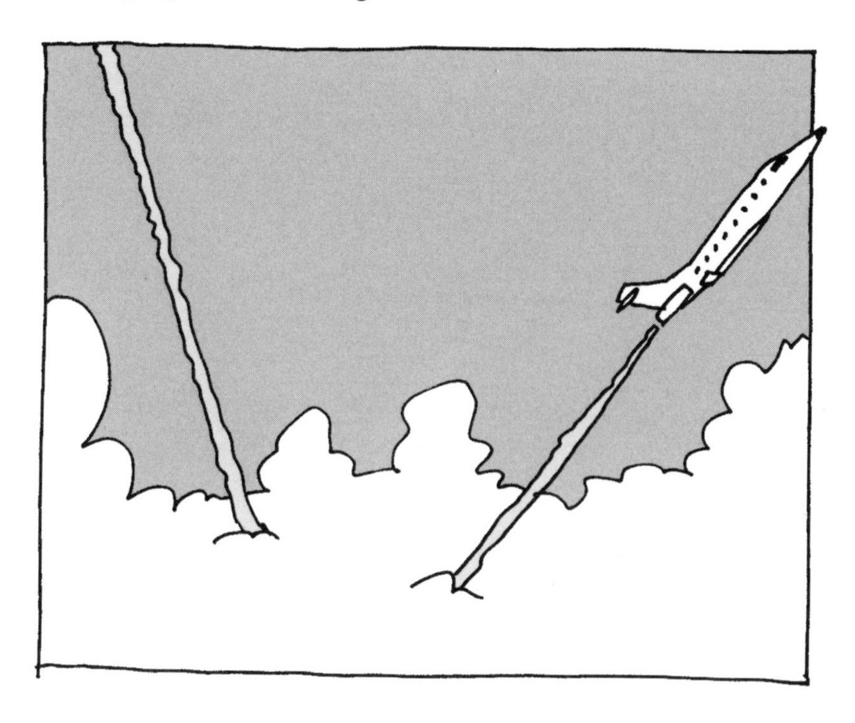

Ze kregen eten.
'Ik hoop dat we pasta krijgen,' zei Tony.
Het was pasta.
In een plastic bakje.
'Zij heb er in gespuugd,' zei Janus terwijl hij op de stewardess wees. 'Ik heb het zelf gezien. Kijk, daar zit een dikke klodder.'
Tony werd al misselijk bij de gedachte.
'Hier, je mag mijn bakkie hebben.'
'Graag,' zei Janus. 'Ik ben dol op spuug.'
'Mevrouw,' zei oma. 'Hebt u misschien een heleboel pasta voor deze aardige jongen?'
'Ze bedoelt mij,' zei Janus.
'Ik denk,' zei de stewardess, 'dat ik jou door de wc spoel.'
'Als u met me meegaat, vind ik het best.'
De stewardess schoot in de lach.
'Ik zal erover denken,' zei ze.
Na het eten verveelden ze zich. Er werd ruziegemaakt, gesnoept, gelezen, een spelletje gedaan en ten slotte geslapen.
Janus snurkte zo dat je het in de cockpit kon horen. Jopie zat in zijn slaap te praten en van de anderen merkte je niets.
Voor ze het wisten, werden ze wakker gemaakt.
'Over een halfuur ontbijten,' riep de stewardess.
Ze aten geen hap, want ze vlogen over ijsbergen en eindeloze sneeuwvlakten. En die kwamen steeds dichterbij. Tot ze ten slotte landden op een klein vliegveld bij een nog kleiner gebouwtje.
'Denk erom,' zei professor Young. 'Het is hier dertig graden onder nul. Muts op, sneeuwlaarzen aan en je jas goed dicht doen.'
Het viel allemaal erg mee.
De zon scheen en er was geen wind.

'Wat mooi,' zei juf. 'Jammer dat de zon schijnt.'
In twee auto's reden ze naar hun verblijf. Geen iglo, maar een doodgewoon houten gebouwtje in de sneeuw.
'Ik ben benieuwd wat we te eten krijgen,' zei Lena.
'Gedroogde zeehond,' jende Janus.
'Dat eet ik niet.'
'Ze zeggen dat het lekker is,' pestte Tony. 'Vooral de oogjes.'
Ze kregen kip met patat.

De volgende dag werd het echt spannend.
In een hondenslee naar de kust. De man die de honden mende, gaf ze allemaal hun plaats. De professor en Bright Lady Astronaut voorop. De honden – 'net grote keeshondjes,' zei Sammy – draafden door de sneeuw en trokken de slee alsof die niets woog.
Het was zo stil, dat de volwassenen en de kinderen ten slot-

te niets meer zeiden. Ze keken naar de met sneeuw beladen bomen, naar de witte heuvels. Nergens zagen ze sporen van poolvossen of ijsberen.

Na een paar uur kwamen ze op de plaats van bestemming: een eindeloze sneeuwvlakte langs door ijsbergen omringd water.

'De Noordelijke IJszee,' zei professor Young.

Het water was inktzwart. Hier en daar dreven dikke ijsschotsen. In de zee stonden huizenhoge bergen van ijs. Het glinsterde in de zon.

Ze stapten allemaal uit, behalve oma.

'Ik kom zo,' zei ze. 'Ik wil even in mijn eentje genieten.'

Het was een prachtige dag.

'Je kunt je toch niet voorstellen dat het hier ongeveer een halfjaar lang nacht is en een halfjaar dag,' zei Sammy's vader.

'O ja, hoor,' zei de verschrikkelijke schooljuffrouw. 'Dat kan ik u precies uitleggen.'

Ze wilde beginnen toen er een gil klonk.
Oma was van de slee gevallen en lag languit in de sneeuw.
'Mijn been,' kreunde ze. 'Mijn been.'
De professor en de hondenmenner legden haar op de slee.
'Hier niet ver vandaan is een dokterspost,' zei de hondenmenner, 'maar volgens mij is er niets gebroken.'
Maar Bright Lady Astronaut wilde zekerheid. 'We nemen geen risico. Ik ga wel met mijn moeder mee.'
'Ik ga ook mee,' zei Sammy. 'Ik laat oma niet in de steek.'
Daarna volgde een heleboel geharrewar of de professor wel of niet mee zou gaan. Tot besloten werd dat juf met de kinderen zou achterblijven.
'Binnen een uur haal ik jullie op,' zei de hondenmenner en even later gleed de slee geruisloos over de sneeuw naar de dokterspost.
'Die honden noemen ze husky's,' zei juf. 'Dat vind ik toch zo'n schattige naam. Kunnen jullie je voorstellen dat hier mensen wonen? En dat die mensen in twintig minuten een sneeuwhuis kunnen bouwen? Ach,' zuchtte ze, 'wat is het hier mooi. Ik wou dat ik hier altijd kon blijven.'
'Dat zou fijn zijn, juf,' zei Tina.
'Ik begrijp ook niet waarom ik mijn bontjas mee moest nemen. Het is hier helemaal niet koud.' Ze begon haar jas los te knopen en deed hem uit. 'Kijk eens,' riep ze, 'hoe heerlijk het water is. Luister naar wat ik zeg, Jopie. Anders kun je ijs eten.'
Ze liep door de sneeuw naar de kant. Haar laarzen zakten diep in de sneeuw, maar het was net of ze het niet merkte.
Ze gooide haar handschoenen uit. En even later vloog haar muts door de lucht.
'Heerlijk kinderen, heerlijk. Zo hoort het klimaat te zijn. Zuiver. Schoon. Prachtig.'
Vlak langs de oever dreef een ijsschots. Hij was minstens

vijftig meter in doorsnee en schoof heel langzaam door het water.

'Zal ik erop springen?'

'Ja juf!'

'Doen juf!'

Juf liep tot aan het water, nam een sprong en was op de ijsschots. Ze gleed niet eens uit. De ijsschots schommelde. Het was net of hij opeens iets sneller begon te drijven.

'Niet doen juf!' riep Lena. 'Veel te gevaarlijk.'

Tina gaf haar een stomp.

'Dag juf!' riep Janus.

'Tot ziens, juf!' riep Jopie.

'Ze moet eraf,' riep Lena. 'Zo bevriest ze.'

De ijsschots schoof langzaam een geul tussen twee ijsbergen in en begon snel af te drijven.

Juf zwaaide.

'Dag kinderen! Dag!'
Ze zag er blij uit.
Zo hadden ze haar nog nooit gezien.
Op het zwarte water draaide de ijsschots weg achter een ijsberg. Opeens was hij uit het gezicht verdwenen.
'Daar zijn we mooi van af,' zei Tina.
'Het is vreselijk,' zei Lena.
'Eigen schuld,' zei Tony.
'Nooit meer in de vrieskist,' zei Jopie. 'Nooit meer ijs eten. Heerlijk.'
'Ze komt nooit meer terug,' zei Lena in paniek.
'Misschien smelt ze wel,' zei Tina. 'Wat zou dat heerlijk zijn.'

Dolf Verroen

De verschrikkelijke schoolmeester

Honderd jaar geleden kon je beter geen straf krijgen.
Ze hakten je tenen af en sloegen je billen blauw of het niks was... Jij hebt op school alleen aardige meesters.
Die trekken nooit voor straf je haren uit of draaien je oor er (bijna) af.
Natuurlijk niet, alle meesters zijn tegenwoordig lief.
Hoewel – ik weet een school en daar is een meester...!
Die wil niet alleen de kinderen uit zijn klas opvoeden, maar alle kinderen in Nederland. Dus jou ook.
Hoe hij dat doet moet je maar lezen.
Als je durft tenminste...

Dacht je dat de verschrikkelijke schooljuffrouw erg was?
Dan ken je deze schoolmeester nog niet!